한 문 선 散文集

내가 보는 정물화

가짜가 판친다.
똑바로 보고 있을 거야!

아무도 당신이 될 수 없다.
그것이 당신의 힘이다.
No one is you
and that is your power.

It ain't over till it's over.
끝날 때까지는 끝난 게 아니다.

<내가 보는 정물화 차례>

서시(序詩)

세상이 복잡하게 돌아간다.
언제 이 소용돌이가 끝날지 알 수 없다.
인간은 지상의 낙원이 두려운가!

서로가 물고 뜯는 원인이 묘연하고
해법은 더더욱 알 수 없다.
그래도 침묵하고 있을 수만은 없지 않나!
가짜, 망나니 세상에서 탈출하자!

내가 할 수 있는 일은
보고 있는 그대로를 전달하는 것이 아닐까?
나만의 세류(世流) 정물화를 그려본다.

두려움 때문에 갖는 존경심만큼 비열한 것은 없다
Albert Camus,

미국 기류(氣流) 엿보기

`

미국, 꿈 중의 꿈
America, Dream of Dreams

아메리칸 드림(American Dream)은 미국 사람들이 갖고
있는 미국적인 이상 사회를 이룩하려는 꿈을 뜻하는 말로
미국인이라면 대부분이 가지고 있는 공통된 소망으로
무계급 사회와 경제적 번영의 재현, 압제가 없는
자유로운 정치 체제의 영속되는 등의 개념을 포함한다.

하지만 아메리칸 드림은 반드시 미국인들에게만 해당되는
말은 아니다. 미국 이민의 역사를 되돌아 보았을 때,
비교적 이민이 자유로웠던 미국으로 건너 간 외국인들이
미국에 가면 무슨 일을 하든 행복하게 잘 살 수
있으리라는 생각 또한 아메리칸 드림에 해당한다.
(위키백과)

영원한 건 없다고 하지만 부디 영원하기 바란다.

불법입국,
손쉬운 인구증가 정책일까?

요즘 미국 뉴스를 보면 어리둥절할 때가 한두 번이 아니다. 미국은 선진국이라고 생각하고 무엇이든 배우려고 하던 때가 엊그제 같은데 요즘 미국의 국내 정황은 마치 개발도상국의 정치, 사회체계와 다를 바 없는 것 같아서 오히려 걱정될 정도이다.

미국은 원래 이민자의 나라이기 때문에 세계 각지에서 여러 인종이 아메리칸 드림(American Dream)을 안고 미국으로 건너간다. 그동안 불가사의하게 생각했던 것은 마치 세계 각국에서 꿈을 안고 이민 온 사람들이 미국(국가)에 대하여 자부심과 애국심을 갖고 산다는 것이다. 미국의 건국이념이 알게 모르게 전국민에게 전파되도록 나름의 탁월한 노력이 있었다고 생각한다.

그러나 최근 보도에 의하면 공항에서는 비자 검사를 철저히 하지만, 남쪽 국경은 무방비 상태라고 한다. 주지하는 바와 같이, 트럼프 대통령 재임 시 장벽을 쌓고 밀입국을 강력히 단속하려고 했다. 그러나 민주당이 반대했고 트럼프의 재선이 무산되면서 모든 불법 이민자에 대한 정책은 국경 없는 상태가 지속되고 있다. 그렇게 밀입국한 사람들은 멕시코와 국경을 접한 텍사스주로 들어온다. 밀입국을 반대하고 있는 텍사스주가 이들을 강제로 뉴욕, LA, 샌프란시스코, 시카고 등 민주당이 장악한 주요 도시에 주로 이송하기도 한다.

이들은 주거환경이 불안정된 상태에서 살인, 강간, 강도 행위가 빈번히 일어나고 있다. 이런 행위를 가볍게 눈감아 주는 현상이 필부(匹夫)로서는 이해가 되지 않는다. 샌프란시스코에서는 1,000불 미만의 물건을 훔치면 경범죄로 방면한다고 한다. 슈퍼마켓, 상점이 떼강도 같은 도둑들에 의해서 털리는 장면이 유튜브 여러 곳에서 보도되는 것을 본다. 그들은 죄의식 없이 태연하게 자기 것을 가지고 가는 것 같은 느낌이다. 속수무책으로 폐업하는 상점이 속출하고 있다고 한다. 그런 방임(放任)이 인종차별 철폐라는 말인가!

인종차별을 철폐하려는 미국의 인권 정책은 가히 모범적이다. 그러나 오히려 너무 과(過)해서 인종차별을 부추기는 것은 아닐까, 의심되기도 한다. EU도 과거 패권적 식민정책의 인과응보로 과거 식민 국가의 난민을 받아들일 수밖에 없어 곤혹을 치르고 있다. COVID-19 팬데믹과 미중 무역전쟁의 여파로 불경기가 지속되고 있다. 엎친데 덥친격으로 EU 각국은 우크라이나 전쟁으로 인한 심각한 경기 침체 속에서 울며 겨자 먹기로 체면상 받아들인 난민을 품어야 하고 불안한 치안 문제와 종교 갈등마저 감내하게 됐다.

고령화 및 저출산 여파에 따른 인구절벽 문제를 해결하는 제일 쉬운 방편이 될 수 있을지는 모르겠다. 그러나 잘 아는 바와 같이 미국은 이런 방법이 아니더라도 수많은 우수한 인재가 정식으로 입국해서 살고 싶어 하는 나라이다. 밀입국자의 숫자를 보면 국가의 일관된 정체성을 갖고 발전을 도모하기에는 적지 않은 우려가 있다. 향후 그들이 투표권을 행사하여 세력화가 되면 정치, 사회적인 문제로 번져나갈 것은 명약관화한 사실이 아닌가!

그럼에도 일부 보도에서 다루는 바와 같이 2024 대선에서 이기기 위한 편법(便法)일까? 어떠한 방법으로라도 불법입국자에게 투표권을 주어 집권 연장을

도모하려는 걸까? 만일 그것이 사실이라면
자유 민주주의를 파괴하려는 음모임에
틀림이 없다. 미국의 국경 문제는 분명
불가항력 상황이 아니다. 누구라도
막으려고 하면 막을 수 있는 가능한 일을
방치 내지는 유도하는 실정이다. 이를 보면
고차원적인 인구 증가 정책의
일환이라기보다는 선거 승리만을 위한
막무가내(莫無可奈) 꼼수라고 보아야 하나?
미국 최고의 막강한 수재(秀才)들과
세계적인 씽크탱크 thinktank가 만드는
고차원의 수식(數式)이라 풀기가 어렵고
두렵다.

  역사적으로 제국의 멸망은 노쇠하거나
외부의 침략에 의해서가 아니다. 패권을
누리는 기간이 길어지면 군사력과 경제력을
믿고 동맹에 대하여 오만(傲慢)하고
경시(輕視)하는 경향이 생기게 마련이다.
그런 시기에 외부의 반발 세력과 이에
대응하는 내부의 자충수(自充手)에 의해서
‘우리의 꿈의 나라’ 미국의 붕괴가
시작되지나 않을까 우려된다.

인종 차별 철폐 다음은?

뉴스에 보니 전철에서 백인 여성이 흑인에게 성폭행당하고 있는데 승객들은 보고만 있고 아무 말도 하지 못하고 수십 정거장을 그냥 지나쳤다는 보도가 있었다. 흑인을 고발하면 인종차별로 당할 것 같으니 입 다물고 있고, 대통령은 이런 일련의 사태에 대한 기자 인터뷰에서 일상적인 일이라고 얼버무리는 현실을 보면 이해가 되지 않는다.

그들이 내세우는 논리적 근거는 역사적으로 백인이 흑인을 많이 착취했기 때문에 사죄하는 의미에서 당해도(?) 할 말이 없다는 것이다. 역사를 부정하고 바로잡고자 한다면 현존하는 모든 것을 뒤집어엎어야 한다. 수많은 살생을 하고 지금도 대립하고 있는 종교 분쟁 문제는 어찌하고, 전쟁과 살생으로 식민지를 넓히며 착취한 소위 해양 선진국들의 그 죄를 지금의 잣대로 어찌 바로잡을 수가 있을까! 아메리카 대륙의 원주민인 인디언에 대한 사죄와 그들의 소유 토지 반환에 대한 언급이 전혀 없는 이유는 어떻게 이해해야 할까!

　흑인으로서의 긍지와 자각을 통한 정신적 자립, 자조를 돕고 평등하게 대우하여야 하는 것은 당연한 과제이다. 그러나 그러한 신성한 의식운동을 정치에 이용하여서는 안 된다. 지금 미국의 민주당은 유색인종 특히 흑인의　인권운동(폭행마저도)을　정치에 이용하고 있다. 사회적으로도　이런　흑백 문제를 희석하기 위해서 각종 광고 모델에 흑인을 많이 등장시키고 있다.

　심지어　백설(白雪)공주가　흑인이기까지 하다. 그럴 거라면 차라리 흑설(黑雪)공주로 이름을　바꿔야　하지　않을까?　물타기의 일환인지는 몰라도 이러한 인종차별 문제를 대전제로 내걸고 있다. 누구도 거부할 수 없는　인종차별　뒤에　동성애,　성전환, 낙태를　합리화하며　서서히　가족제도의 존재의미를 파괴하려고 하는가? 더 나아가 종교마저도　말살하는　길로　가는　것은 아닐까?

　아카데미가　실제로　'루니　룰'[1]Rooney Rule까지 도입하지는 않았다. 그러나 이런 여론의 강력한 압박 덕분인지 오스카상은

---

[1] '루니 룰'은 아카데미처럼 '인종차별' 비판을 받아온 NFL이 2003년 감독 채용 인터뷰를 할 때 흑인을 비롯한 소수계를 최소한 1명 포함시키도록 의무화한 규정을 말한다. 당시 NFL의 '다양성 위원회'를 이끈 피츠버그 스틸러스의 구단주 댄 루니의 이름을 딴 규정이다.

이후 상당한 다양성을 보여주며 변화했다. 봉준호 감독의 '기생충'이 2020년 시상식에서 작품상, 감독상, 각본상, 국제 장편 영화상을 받고 윤여정이 2021년 여우 주연상을 수상한 것이 그런 측면을 긍정적 측면에서 잘 보여주고 있다. 그렇다고 수상 자격이 없음에도 불구하고 인종 비례 문제 때문에 수상한 것이라고까지 비약하고 싶지는 않다.

BLM(Black Lives Matter) 운동은 '보수와 진보로 갈려 크게 분열된 현재 미국 사회의 상황과 맞물려 많은 논란을 일으키고 있는 운동이다. 특히 이 "Black Lives Matter"의 해석을 두고도 논쟁이 있으나, 이것은 "All Lives Matter"로 대표되는 반대 측의 해석인 "흑인 생명은 소중하다"가 아닌 "흑인 생명도 소중하다"라는 의미로 보는 것이 올바른 해석이다'. (나무위키)

일명 '워크 문화(woke culture)'는 미국의 새로운 문화이다. 'woke'라는 단어는 2022년 지금 미국 사회의 맥락에선 단순히 'wake'라는 단어의 과거형 이상의 의미를 갖는다. 'Woke culture'를 구글링해 보니 "인종차별 등의 문제에 의식을 갖고 깨어있는 것"정도로 정리가 된다. 즉 진보

진영에서 중시하는 젠더, 인종 및 성소수자 차별의 이슈에 이해도를 갖고 관련 행동을 하는 깨어있는 상태를 가리키는 말이다. 그러나, 이 역시 보수 진영에선 고운 눈으로 바라보지 않는다. 진보 성향의 이슈에 반기를 드는 목소리도 자유민주주의 사회에선 당연히 있기 마련이고, 그럴 권리도 지켜져야 한다.

최근 조명되고 있는 관심사는 '같은 단어 다른 해석'이다. 같은 단어이지만 진영논리에 따라 그 해석이 다른 것이 일반인의 해석과 처신(處身)에 장애가 되고 있다. 환경문제, 인종 문제, 성소수자 문제(LGBTQ; 레즈비언 Lesbian, 게이 Gay, 양성애자 Bisexual, 트랜스젠더 Transgender, 퀴어 Queer)가 단골 이슈이다.

미국·영국 등 서구권에서는 매년 6월이 되면 성소수자를 상징하는 '무지개 깃발'이 거리 곳곳에 걸린다. 표면적으로는 성소수자에게도 인권을 보호해주는 성차별 문제가 있으니 철폐해야 한다는 지극히 인도적인 주장을 하고 있다. 나의 손녀는 무지개를 자주 그리는데 성소수자 의미 자체를 모르는 아이다. 손녀에게 무지개는 우리가 상식적으로 생각하는 그 무지개일 뿐이다.

Political Correctness (PC) 즉, '정치적 올바름'이란 소수자들에 대한 모든 종류의 편견이 섞인 언어나 정책을 쓰는 것을 피하고 자제하자는 신념이다. 그리고 그런 신념에 반(反)하는 바탕으로 추진되는 모든 기존의 사회적 운동을 비판적으로 지칭하는 명칭이다. 차별에 대한 극도의 혐오감이 강하게 표출된 사상에서 시작된 PC 주의는 그 처음과 달리 성소수자 이른바 동성애자들이 가장 선호하고 사람들에게 강하게 내세우고 있는 수단이다.

태생적으로 성전환을 모색해야 하는 사람의 성전환 수술 허용의 찬반 문제가 아니고 그들의 주장은 개개인(箇箇人)이 자유롭게 성별을 선택할 수 있도록 해야 한다고 주장한다. 본인의 의사에 따라서 그것도 수시(隨時)로 성별(性別)선택의 자유를 주어야 한다는 것이다. 최근에는 수술적 선택을 넘어 개인의 의사만으로 성별이 바뀔 수 있다면 어찌 될까?

앞으로 인간은 성별이 없어지고 성(性)은 단지 쾌락의 도구로 전락할까? 인류의 후손(後孫)은 인간 공장에서 기계적으로 생산하고 공공기관이 일률적으로 양육하는 시대가 오는 걸까? 가족(家族)은 소멸되고 말 것인가? 지금처럼 평생을 배워야 하는 어수룩한 인간이 아니고 똑똑한 훈련된 인간, AI 세상이 되는 것은 아닐까?

일부 몽상가(夢想家)들이 꿈꾸는 적정 인구가 사는 쾌적한 지구를 만들 수 있다고 생각할까? 만일 그러한 세상을 만들기 위하여 전쟁도 하고, 팬데믹도 만들어야 하고, 성별도 없애야 한다면 너무나 큰 재앙이다. 그것은 신(神)의 영역이기 때문이다.

기후 변화,
돈벌이에 이용되나?

미국의 정치는 돈으로 결판이 나는 생태계이므로 돈 있는 자들이 정치꾼들과 의도적으로 그럴듯한 논리를 앞세워 그 길로 가고자 한다면 미국뿐 아니고 세계의 모든 나라(특히 우방 국가)는 그 길로 자발적 또는 떠밀려서 그 길로 갈 수밖에 없다. 온난화 대처 방법, 식량문제, 에너지 및 물(水) 문제 등등(等等) 인류가 머리를 맞대고 해결할 문제가 산적해 있다. 그런 문제는 각국의 이해관계가 얽히고 있어서 해결하기가 쉽지 않을 것이다. 그러나 그런 문제들이 보이지 않는 손에 의해서 그들의 이해관계로 매듭을 풀려고 시도하는 것을 경계하는 것이다.

안토니우 구테흐스 UN 사무총장은 "지구 온난화 global warming의 시대는 끝났다. 이제 지구 열탕화 global boiling의 시대이다."라고 밝혔다. 6차 대멸종은 진행중이며 이제 2년도 남지 않았다고 경고한다. 지구는 완전 소멸 선고를 받고 그때를 기다리고 있는 것이 사실일까?

인간의 행동이 아닌 자연과 천체가 지구의 온도에 영향을 준다고 한다. 자연적 원인(태양 복사량(複寫量), 지구운동, 우주먼지, 태양광 반사율 감소 등)과 더불어 인위적 요인 모두 지구 온난화에 영향을 끼친다는 것이다. 인간이 이산화탄소(CO_2)와 메테인과 같은 온실기체의 절대다수는 에너지를 사용하기 위해 화석연료를 태워서 만들어진 것이다. 그 외에도 농업, 제강, 시멘트 생산, 산림 손실, 음식물 쓰레기로 온실 기체가 방출되고 있다.

우리는 인위적 원인 즉, 온실가스 축소 문제를 해결하려고 노력하고 있다. 그러나 해결하는 과정이 순탄하지 않은 것 또한 현실이다. 화석연료 고(高)배출국과 저(低)배출국, 수혜국과 피해국이 다 달라서 기후변화협약의 타결이 어렵고, 국가 간의 갈등이 있다. 개도국은 일방적으로 피해를 볼 뿐이지만, 선진국에서는 소수나마 이익을 얻는 주체가 존재한다.

우리 지구에 관한 사항도 과학이 발달했음에도 불구하고 모르는 부문이 많다. 그래서 지구 이곳저곳이 아픈 것은 알지만 완벽한 대처가 어려운 상황이다. 그중 기후에 관한 문제가 가장 심각하다고

거론되고 있다. 구체적 해결 방안도 나왔고
꾸준히 실천하고 있는 듯 보인다. 그러나
원인 파악이 확실하게 된 것인지는
모르겠다. 지구의 역사에는 온난기,
빙하기를 비롯하여 여러 기후 변화를
겪으면서 현재에 이르렀는데 그 원인을
정확히 알고 대처하는 것일까?
이산화탄소는 식물의 식량이다. 식물은
지구를 정화하는 원동력이기도 하다.
이산화탄소를 축소하면 지구는 온난화를
극복할 수 있을까?

환경문제는 전(全)지구적인 문제이다.
일회용품 사용도 줄이고 그린 에너지 green
energy도 개발 활용해야 한다. 오염원을
찾아 대체할 수 있는 부분은 서서히
오염을 발생하지 않는 물질로 대체해 가는
것이 마땅하다. 그러나 가축(家畜) 소의
똥과 숨쉬기마저 탄소 배출의 원인이라고
하여 소를 멸종(滅種)시키고 곤충의
번데기를 양식으로 해야 하는 시대를
맞이해야 할까? 지구상의 인구가 너무
많아 5억(億) 정도로 줄여야 쾌적한 생활이
될 수 있다고 인류를 무슨 방법으로 줄여
갈 셈인가?

소위 글로벌리스트 globalist가 주도하는
오피니언 리더들이 모여 그들의 논리로

지구를 진단하고 처방을 내려 세계 각국이 실천하도록 권유하고 있다. 그들은 공기 오염의 주범(主犯) 중에 하나인 자가용 비행기를 타고 다니며 무슨 회의, 무슨 포럼 등의 이름으로 처방을 내어 미국 등 서방 각국의 정치권에게 명령(?)을 한다. 트럼프 전 미국 대통령이 이런 상황에 반발하여 국제기후변화협약에서 탈퇴하였으나 다음을 이은 바이든 대통령이 다시 복귀한 바가 있다.

정책 방향의 옳고 틀림의 문제인지 '보이지 않는 손'의 압력 때문인지 필부(匹夫)인 나로서는 판단이 서지 않는다. 만일 보이지 않는 손이 그들의 집단이익을 위해서 지구 여론을 몰아가고 있다면 그야말로 돌이킬 수 없는 큰 재앙이 아닐 수 없다. 지구와 우리를 위해서 그 길이 정의이고, 바른길이기를 비는 마음 간절하다.

혼란을 거듭하고 있는 미국이지만, 아직은 모든 면에서 세계를 바로 지키려는 정의로운 미국인이 많다고 믿는다. 미국의 영향력이 큰 만큼 자유우방이 바로 서기 위해서 우선은 미국민이 깨우치지 않으면 지구 인류를 엄중한 시련(試鍊)에 놓이게 할 수 있다고 생각한다.

중학교 시절 무한희석(無限稀釋, infinite dilution)이란 용어를 처음 듣고 감동을 받았다. 먹물 한 방울이 큰 물동이에 떨어져서 잠시 검게 되어도 다시 깨끗한 물 같이 보이는 것은 먹물이 많은 물에 희석되기 때문이란다. 지구에 나쁜 영향을 주는 나쁜 물질이나 인간이 무한히 희석되어 이롭게 태어날 수는 없을까?

미국은 어디로?

미국이 중국, 러시아와 격하게 대립하고 있다.
표면은 민주주의와 전체주의의 대립이다.

내면은 패권에 도전하는 자(者)와의 싸움이다.
패권국은 차제에 도전자를 소멸시키려 한다.

미국은 동맹이 보기에 정의롭고 좋은 사회인가?
미국이 동맹에도 정의롭고 존경할만 한가?

미국은 동맹이 믿을 만한 의리의 나라인가?
군사력보다 동맹과 의기투합하는 사기(士氣)가 먼저다.

부디 정의와 존경으로 승리하는 미국이기 바란다.
자신과의 힘겨운 싸움의 종말이 오고 있다!

빅테크 Big Tech 날개 접나?

미국은 지금 대통령 선거에서 부정선거 시비에 휘말려 세계의 주목을 받고 있다. 이것은 누가 대통령이 되느냐가 문제가 아니다. 미국은 자유민주주의의 리더로서 흔들림이 없던 나라이다. 이런 불미스러운 문제 보도 자체가 리더로서의 신뢰에 타격을 줄 것이다. 만일 개발도상국에서나 일어날 법한 부정선거를 획책하는 집단이 있다면 단호하게 대응해야 한다. 세계가 바로 서려면, 미국이라는 나라의 자유민주 헌정질서가 바로 서서 모범을 보여야 하기 때문이다.

미국의 심리학자 어빙 재니스 Irving Janis는 집단사고 groupthink[2], 심리학적 현상, 하모니, 획일성을 추구하다 보니 완전히 비합리적 정책 결정을 이루어 내는 경우가 생기고 대안에 대한 비판적 평가가 불가능하며 다른 견해는 압박을 당한다고 했다. 우리는 지금 왼쪽 귀로만 듣고, 바른쪽 귀는 막혀 있다. 집단사고를 강요당하고 있다.

---

[2] 응집력이 높은 집단의 사람들은 만장일치를 추진하기 위해 노력하며 다른 사람들이 내놓은 생각들을 뒤엎지 않으려는 일종의 상태

사람 역시 폭력성, 성욕, 식욕, 등(等) 동물적 속성에서 교육과 훈련을 통해 동물과 구별되어 간다고 본다. 그 교육과 훈련이 여러 종류의 사람으로 만들고 있다. 그것은 지식수준이 아니고 양심이 다른 인간이다. 이목구비(耳目口鼻)는 똑같고, 지식인인 듯한데 양심이 다른 별종의 인간들이 판을 치려고 한다.

예전 같으면 남의 나라 선거에 관심을 가질 이유가 없었겠지만 5G 세상이 되고 보니, 남의 일만은 아니다. 이번 미국의 선거부정 시비 판가름이 우리의 미래를 좌우할 것 같아 마음 졸인다.

* 미국 주류 매체 및 리버럴리스트(liberalist)의 단골메뉴

[위의 기사는 미국 주류 언론매체의 보도 성향을 잘 보여 준다]

빅테크 BigTech가 몸집 (재력, 정보력)이

커지고, 정권(권력)과 손을 잡고
오만방자하게 된 것은 아닐까? 자기들의
주장만을 팩트 FACT (실제로 일어나거나
발생한 일:actural occurrence)로 다루고,
반대 의견 또는 주장을 가짜뉴스라고
배격하고 있는 현실이다. 그들은 또한
그들과 다른 의견 Opinion, 생각 thought,
퍼셉션 3) perception 조차 수용할 수 없는
지경에 이르렀다.

미국은 정보 기술 산업에서 세계적으로
크고 지배적인 기업들이 있다. 아마존,
애플, 구글, 메타, 마이크로소프트, 테슬라,
앤비디아 등 기술기업이다. 이러한 기업이
개인정보보호, 시장 지배력, 언론의 자유와
검열, 국가안보 및 법 집행에 미치는
영향에 의문은 없는지, 기업이 만드는
생태계를 벗어나 디지털 세상에서
일상생활이 불가능할 수도 있는지 면밀한
검토가 요구된다.
이들은 소비자에게 무료(또는 최저가)로
서비스를 제공함으로써 인기를 유지하는
한편 경쟁자의 진입을 막고 있다.

빅테크 공룡들의 몸집이 거대해지면서
유럽에 이어 미국에서도 이들을 견제하는
움직임이 나오고 있다. 빅테크 기업이

---

3) 각자의 감정, 상황, 지식, 인지도에 따라 다르게 느끼거나 볼 수 있는 지
각적 인식

잠재적 경쟁 기업을 인수하는 방식으로, 새로운 사업을 무리 없이 확장할 수 있었던 미국 빅테크 기업의 '킬러 인수'[4] 관행에 제동을 걸겠다는 의미다.

이전에는 기업 결합으로 인해 시장 경쟁을 얼마나 저해하는가 보다는 빅테크의 사업 확장으로 인해 소비자 효용이 증가하고 혁신이 일어나는 면을 더 우선적으로 고려해 인수합병(M&A)을 승인하는 경향이 강했기 때문이다. 우리나라에서도 유망 벤처기업이 비싼 값에 M&A 되는 미국 실리콘밸리가 선망의 대상이 되고 있다. 이렇게 팔려나가는 것보다는 중견기업으로 승승장구하기를 바라는 마음 간절하다.

빅테크 이외에도, 몸집이 거대해진 세계적인 의약 카르텔 drug cartels도 눈여겨봐야 할 대상이다. 팬데믹 pandemic을 만들어 인류를 협박할 리는 없겠지만 무엇이든 가능해진 요즘 세상이라 은근히 걱정된다. 그리고 간과할 수 없는 대상은 재력으로 보이지 않게 지구를 움직이려는 초일류 재력가(財力家)들이다. 그들은 재력으로 정치인들을 움직일 수

---

4) 킬러 합병 또는 킬러 인수란 '반경쟁 전략 인수 · 합병(M&A)' 방식으로 주로 대기업이 소기업을 인수해 그들의 혁신적인 상품 개발을 막는 행위다.

있고, 지식인들을 매수하여 그럴듯하게
합리적인 양 그들이 원하는 방향으로
지구의 정책을 몰고 갈 수도 있다. 세계
각지의 농지를 구매해서 식량 수급 조절
방식으로 군림하는 세상도 걱정이다. 누가
있어 이들을 선량한 사회적 책임을 다하는
기업가로 인도할 것인가!

언론의 자유와 책임은 어디에?

'언론은 정부의 제4부라고 일컫는다. 행정부, 의회, 사법부와 같이 헌법에 의해 수립된 정부의 공식 기구는 아니지만, 언론이 국가 통치와 운영을 위해 행사하는 역할과 영향력이 얼마나 큰지를 시사해 주는 말이다. 이런 언론의 역할은 두말할 필요 없이 국민들의 복지와 행복을 최상의 목표로 추구하는 민주국가의 건전한 유지 발전을 위해 반드시 필요한 조건이다. 동시에 이런 언론의 역할은 묵시적인 사회계약에 의해서 언론이 국가사회로부터 부여받은 의무로 성실히 수행해야 할 책임이다.

불행히도 신문, 방송, 잡지, SNS와 각종 웹사이트를 포함한 언론매체들에 대한 미국인들의 신뢰도가 땅에 떨어지고 있다. 중도적인 뉴스매체로는 월스트리트저널 뉴스, 크리스천 사이언스 모니터, 로이터, BBC, 뉴스위크, 포브스, 더힐 등으로 편파적인 언론매체 수(數)에 비해 훨씬 적다. 한국 언론들은 미 주류 언론들의 보도와 해설을 채택하거나 인용할 때

경영자나 편집진의 이념적 정치적 편견이 반영되지 않도록 노력해 주길 바란다.

독자나 시청자들도 언론매체들의 해설기사나 논설에 접할 때는 그 출처도 살펴보고 내용 속에 내포된 작성자나 편집자의 의도도 유추해 보면서 이해하는 것이 좋을 것이다. 그것이 편견 없는 언론을 보기 어려운 세상에서 편견 없이 세상을 이해하는 길일 것이다.'5)

우리는 미국에 대해서 너무나도 무지하다고 생각한다. 그것은 미국 실정을 미국의 뉴스매체를 통해서 보고 듣고 그것을 사실로 알고 믿고 그대로 국내에 전하고 있기 때문이다.

대선(大選)의 부정선거 의혹, 의회 난입 사건 모두가 민주당이 뒷배인 것이 하원(下院)에서 공화당의 다수당이 된 이후 속속 밝혀지고 있으나 이 역시 한국 언론에는 보도되지 않는다. 물론 미국도 22년 10월 일런머스크 Ellun Musk가 트위터를 인수한 이후(2023년 7월 24일 X(플랫폼)으로 개편)에 점차 진실 보도가 확산되고 있다.

트럼프는 세습 정치인이 아니기 때문에

---

5) 박옥춘 전미 교육과학연구원 연구원의 글 중에서

기존 정치권에게 이단시(異端視) 되고 있다. 그 위에 현존 정치꾼들의 무대를 공개적으로 갈아엎으려고 하니 정치권은 물론 그들에게 돈 대주고 이권 챙기는 재벌, 매스컴들도 한패(牌)가 되어 자기 밥그릇을 지키기 위해 기를 쓰고 트럼프를 공격하고 있다. 상식적으로 이해가 되지 않는 죄목(罪目)으로 수차례나 특히 뉴욕 등 민주당 텃밭에서 수난(受難)을 격고 있는 것 같다.

요즘에 세상이 아무렇게나 돌아가고 있어 정신이 없다. 올바름이 무엇인지 헛갈리는 세상인지라, 우리가 본래 알고 있는 상식대로라면 막가는 세상임에 틀림이 없다. 미국의 어이없는 언론의 행태나 이에 따라 춤추는 생각 없는(?) 무리를 보고 있노라면, 한국의 정치 패거리들의 노는 모습도 그리 우스운 현실은 아니라는 생각을 해보기도 한다. 삼척동자(三尺童子)도 알만한 헛소문을 철석같은 진실이라고 믿는 사람, 작은 기대 이익을 걸고 자기 자식의 미래를 팔아넘기고도 의식하지 못하는 사람이 알게 모르게 공모자가 되어가고 있다.

여론이든 사건이든 마음대로 만들어 낼 수 있는 현실이다 보니, 가려서 보고 듣지 않으면 그들의 맹랑한 소리에 휩싸여 놀아날 수밖에 없는 세상이 되고 말 것이라는 무서움 마저 든다. 우리가 철석같이 믿는 정의의 나라, 자유의 나라, 꿈의 나라, 미국이 '보이지 않는 손'에 의해 무엇이든 조작이 가능한 나라가 되어가는가?

미국의 소위 주요 언론매체가 트럼프를 공격하고, 여론을 조작 보도하고, 바이든을 치켜세우는 선거판에서 트럼프가 살아서 대적(對敵)하고 있다는 사실이 트럼프의 위대함을 실감케 한다. 처음의 정치 무대가 대선이었고, 우대하지 않는 공화당 내에서 자신의 위치를 확고히 함과 동시에 공화당을 트럼프 중심으로 모으면서, 중국을 주적으로 만들어 세계 여론을 이끌어 가면서 민주당을 공화당 프레임에 이끌리어 가도록 만드는 뚝심은 가히 존경할 만하다.

일부 열성 반(反)트럼프 지지자들은 조건 없이 트럼프를 싫어하는 경향이 있는 것 같다. 미국 주류 언론의 보도를 한국의 언론들도 여과 없이 그대로 보도한다. 그의 매너, 말투가 대통령답지 않다는 점이 두드러지게 부각 되고 있다. 문제의 핵심은 그가 정치판의 비주류이기 때문에

주류로부터 경멸을 당하고 있는 점과 현실
정치판을 개조하려고 하는 그의 시도가
부딪치고 있다고 생각한다. 요즘 각 나라의
정치판은 세습 비슷하게 자기들끼리 꽃놀이
판을 짜고 있지나 않은지? 거기에
이단자가 나타나서 근본적으로 판을
엎으려고 하니 반길 이유가 없다.

권불십년(權不十年)이라는 말이 있다. 수십
년을 대를 이어 자신의 아성을 쌓고 있는
미국 정치판에 엉뚱한 친구가 나타나
심판을 하려고 한다. 재선은 도저히 용납될
수 없는 미국 정가의 불똥이 아닐 수 없을
것이다. 미국은 로비스트 lobbyist들의
천국이다. 대통령만 바뀌는 것이 아니고
정치 생태계가 바뀌면 그들의 생존도
위협을 받을 수 있다. 그뿐이랴 압력단체의
이익은 어찌하랴! 공화당 내부에서까지
반트럼프 세력이 많은 이유가 짐작이 갈
만하다.

한편 생각해 보면 처음으로 미국 대선에
관심갖게 됐다. 박 대통령 탄핵 이후
밀려든 정치 사회적 위기감이 한국이라는
우물 속에서 세상 밖으로 밀어 놓은
덕분이라고 생각한다. 세상 밖의 움직임에
관심 없이 하루하루를 단순히 채우며
바쁘게 살던 우리를 일으켜 세운 것이다.

나라를 잃기 전에 온 국민이 세계 속의 대한민국을 새롭게 바라보고 대안을 세워가는 계기가 되길 바란다.

아! 우크라이나!

우크라이나 전장터에서 너무 많은 것을 배운다.
손자(孫子)의 병법에서 '전쟁은 기만작전'이다.
당사자들은 자기 나라 입장을 유리하게 포장해서 나발을
분다.
매스컴은 사실 보도가 아니고 자기 뒷배 입장만을 알린다.
구경꾼들은 똥오줌 못 가리고 강 건너 불구경하듯 한다.
이런 와중에 무고한 사람은 죽어 가고 있다.
우리 스스로 힘을 길러야 이런 꼴을 면(免)한다.

******

우리나라는 내전(內戰) 중이다.
전쟁을 종식(終熄)시키는 방법은 간단하다.
바른 인간을 국회로 보내서 끝장내자.
최선이 아니더라도 최악은 막아야 한다.

민주주의
어떻게 지켜낼 것인가!

세상의 국가들이 겉으로는 모두 민주주의를 채택하고 있다. 국민이 나라의 주인임을 표방하고 있다. 그러면서도 대다수의 사회주의, 공산주의 국가에서는 공개적인 투표를 함으로써 개인의 주의 주장을 묵살, 용인하지 않고 무늬만 국민이 투표로 뽑았다고 말도 안 되는 정통성을 주장하며 국민 위에 군림하며 무소불위(無所不爲)의 권리를 행사하고 있다.

그런데 요즘 과학기술의 발달로 인해서 티 안 나게 첨단 기술로 국민을 속일 수 있어서 민주주의의 근간이 되는 선거제도에 심각한 의문을 던지고 있다. 몇몇 후진국에서 컴퓨터를 이용한 선거 부정이 문제가 되어 뉴스에 보도된 바가 있지만 그러한 일이 미국을 비롯한 선진국에서도 일어날 수 있다면 경천동지(驚天動地)할 일이 아닐까!

수단과 방법을 가리지 않고 정권을 잡으려는 정치꾼들에 의해서 부정선거가 있어 온 것도 사실이다. 금품과 주색(酒色) 등 온갖 방법을 동원해서 권력을 잡으려는 시도를 여하히 감시하고 저지하는가는 문명국가의 척도이기도 하다. 그런데 이제 편리하게 컴퓨터를 이용한 표(票) 도둑이 은밀한 방법으로 가능하게 되었다. 도둑질하는 방법이 진화하면 도둑을 잡는 방법 또한 발전하겠지만, 표(票) 도둑은 도둑을 잡을 권력과 같은 편일 가능성이 크고, 기술적으로 은밀하게 행하여지므로 도둑을 잡을 방법이 쉽지 않을 것이다. 진정한 민주주의를 지켜내기가 쉽지 않은 시대가 도래한 것이다.

국민이 깨어있어 참된 주권을 행사한들 표(票)를 세는 (count) 자(者)들의 손아귀에 놀아난다면 국민은 민주주의의 요식행위만을 하고, 표를 마음대로 조작하는 자들의 나라가 되는 것이 아닌가!

세상이 온통 전쟁과 보복의 혼미한 상황이라서 그렇겠지만 가짜가 판을 치고 있다. 미국 선거전에서 전개되고 있는 유사한 현상도 그냥 지나치기에는 심각한 문제성이 있다. 한국에서는 언론매체들이 입맛에 맞는 동색(同色)의 집단 소식만을 전하고 있고, 미국도 마찬가지다. 심지어 정보 소통에 코어로 각광받고 있는 미디어 및 SNS의 주류들은 가짜뉴스라고 자기의 잣대를 들이대어 정보를 선택 보도하고 심지어 삭제하기까지 하는 지경에 이르렀다.

뉴스의 선택권을 갖고 있는 매체는 자체 기준으로 뉴스를 게재한다. 당초(當初)의 취지는 타인을 무고하거나 사회에 악영향을 미치는 잘못된 보도를 하지 못하도록 하기 위한 정의로운 사회의 도덕적 개념에 입각한 것이지만 지금은 너무나도 변질이 되어 이익 집단에 의하여 대놓고 공공연하게 악용되는 실정이다.

언론이 민중의 지팡이요, 민주주의를 이끌어 가는 길잡이로서의 역할을 이미 기대할 수 없는 것일까? 중공이나 북한 등 전체, 독재주의자들의 선전매체와 무엇이 다를까? 물론 그들은 하나라도 이탈 매체를 용납하지 않고 있다는 것이 소위 우리처럼 민주주의를 표방하고 있는 나라와 다르다고나 할까!

그 위에, 사실을 은폐하거나 왜곡하고, 시골 할머니도 판단이 가능한 범죄를 아는 척, 모르는 척 지나쳐 버리거나 없는 죄도 만들어 뒤집어씌우는 패거리 검찰, 경찰이나 법원이 있다고 한다면 사회정의가 바로 설 수 있을까? 우리 젊은이들은 이런 작태를 보고 앞으로 자신들의 삶을 위해서 어떻게 대처해야 할까?

민주주의의 핵심은 누가 뭐라고 해도 공정한 선거이다. 그래서 '모든 권력은 국민으로부터 나온다'고 한다. 그런데 부정선거를 자행하여 입법부를 장악한다면 민주주의 탈을 쓰고 전체주의 독재를 하려고 하는 의도가 분명하다. 세상의 모든 국가는 민주주의를 표방하고 있지만 선거가 권력에 의해서 마음대로 조정될 수 있다면 진정한 민주주의는 아니다. 우리나라는 진정한 국민이 바라는 그런 민주주의를 하고 있는가!

앞으로 국민이 진정한 주인이 되는 자유 민주주의 국가는 지켜낼 수 있는 것일까? 한국의 총선과 미국의 대선을 보며 이런 황당한 생각을 하는 것은 나만의 기우일까?
혹시라도 자유 민주주의의 귀중함을 잊고, 감언이설(甘言利說)에 속거나 일확천금 유혹에 팔려 하는 수 없이 타이타닉호를 같이 타고 마지막 여행에 동행하는 무지한 사람이 없기를 간절히 바란다.

다수의 양순하게 침묵을 지키고 있는 국민은 언제까지 정치세력으로부터 따돌림을 당하고만 있을까? 이것이 문제로서이다! 이토록 서로 얽힌 관계 사회에서는 가치관이란 혼자만의 것이 아니고, 나누고, 노력해서 쟁취하고 공유하지 않으면 효용(效用)이 없는 것 아닐까, 생각해 본다.

리처드 도킨스 Richard Dawkins는 그의 저서 '이기적 유전자 The Selfish Gene'에서 내 몸속의 이기적 유전자를 지키는 가장 좋은 방법은 약육강식으로 이긴 유전자만이 살아남는 것이 아니라 상부상조를 한 부류가 더 우수한 형태로 살아남는다고 주장한다. 자유 민주주의가 최상의 정치 제도로서 우수한 인자로 살아남아 더욱 융성하리라 믿는다.

한국 정체성 탐구

국가 정체성
National Identity

국가 정체성은 국가구성원의 일원으로써 개인이 국가 생활
속에서 소속감과 그 속에서 자신이 구성원이라는 뚜렷한
신념을 가지고 있는 것을 뜻한다.

일반 개인에게 국가 정체성이 필요한 이유는 국가
정체성은 국민적 단합과 결속력을 강화시키고, 충성심을
기르게 함으로써 국가 존속과 발전을 위해 필요한 필수적
요소이기 때문이다.

국가 정체성은 애국심의 형태로 나타나게 되며, 애국심은
국민으로써 국가에 대한 애착심과 국가를 아끼고 사랑하는
마음을 말하는 것이다. 때로는 국가에 대한 헌신과 개인적
희생을 요구할 때도 있지만, 긍정적으로 바라보면 개인의
역할을 충실히 하는데 더 중요한 비중이 있는 것이다.

[네이버 지식백과] 통합논술 개념어 사전, 2007. 12. 15., 한림학사

자유 민주주의 지켜내기

삶이란 그리 복잡하지도 어렵지도 않다고 석학들은 얘기한다. 그러나 인간의 본성인지는 알 수 없지만, 욕심에 눈이 가려져 어렵고 복잡한 생활을 하는가 보다. 한편 생각하면 모두가 무소유를 철칙으로 살아간다면 좋은 점도 많겠지만, 인류의 발전은 없었으리라 생각되기도 한다.

이처럼 창조주는 인류에게 시련과 각성의 능력을 동시에 주어서 발전, 파괴, 희망, 사랑의 굴레 속에서 살아갈 수밖에 없는 것은 아닐까? 과거 역사 속에서 선(善)과 악(惡)에 대하여 이미 경험을 통해 잘 알고 있는 터이지만 산다는 것은 역시 새로운 고민의 연속이다.

어떤 사람이 "죽음 체험"이라는 것을 해 보았다고 한다. 관에 들어가 눕고, 관의 문이 닫히고, 캄캄한 관 속에서 못을 박는 소리를 듣는 순간, 조금 전까지 밖에서 하던 생각은 모두 사라지고 진짜 죽음을 맞이하는 것같이 느꼈다고 한다. 독실한 기독교 신자인 체험자는 그 순간까지 자기가 기독교를 믿는 것은 전적으로 타인을 위해서 봉사하기 위함이라고 생각했다. 그렇지만 그 내면에는 자기를 내세우고 자기의 이익을 추구함이 숨겨져 있다는 것을 자각했다고 한다.

일부 소위 재력가 또는 인기인 가운데는 재력과 인맥을 총동원하여 기고만장하며 자기를 위한 조직을 만들어 정치 입문을 꿈꾼다. 그런 사람 주변에는 혹시 성공이라도 하면 떡고물이라도 얻어먹으려고 아부하며 부추기는 사람도 있게 마련이다. 그러나 누구나 돈 있다고 정치 입문이 쉽게 되는 것도 아니다. 아는 선배가 정치가 하고 싶어서 (실은 금뱃지 달고 으스대고 싶어서) 여당, 야당 가리지 않고 줄을 대고, 돈을 대고, 많은 세월 낭비를 했지만 결국은 공천을 받지 못했다. 그만큼 양대(兩大) 정당의 공천을 받기가 쉽지 않다. 떨어져도 좋다고 줄을 대고 기다리는 국회 지망생이 많다는 것은 그 자리가 그리도 좋다는 얘기가 아니겠는가!

문(文) 정부는 여러 방면에 있어서 우리 역사상의 특별한 케이스를 제공하였다. 어느 정권이든 정도의 차이는 있겠지만 인맥이 조금이라도 걸치기만 하면 내 편 인사가 공공연히 자행되곤 했다. 비밀과 부정이 많아지면 많아질수록 더욱더 내 편 아니면 아니 되는 조직으로 갈 수밖에 없다.

그렇게 될 수 없는 조직 형태를 만들면 좋겠지만 인간의 머리로는 한계가 있지 않을까, 회의감마저 든다. 왜냐하면 정치꾼 중에 양심적이고 정의에 불타는 사람이 있더라도 수적(數的)으로 열세일 경우 민주주의 표결 방식으로는 저지할 능력이 없다. 설사 반대당 대부분의 정치꾼 중에 문제를 알고 있더라도 상대방 위세(威勢)에 눌리어 모르는 체를 한다. 아니면 꿀이라도 받아먹고 벙어리가 되는 것은 아닌가?

세상 돌아가는 것과 관계가 없이 살아간다면 모르겠지만, 나 혼자 있는 것을 용서하지 않는 이 세상에서 나만의 가치를 갖고 살기가 쉽지 않을 것이다. 북한의 평범한 백성들은 북쪽에 살았기 때문에 본인의 의사와 관계없이 공산주의자의 탈을 쓰고 고통을 받고 살고 있다. 한국 또한 끊임없이 자유 수호 노력을 하지 않으면 이대로 계속 자유로운 세상에서 잘 살 수 있다는 보장은 없는 것이다. 한국은 지금 밖으로는 중국과 북한, 그리고 내부에서는 친공(親共) 간첩과의 치열한 내전 중이다.

앞으로 진정한 자유 민주주의가 존속 될

수 있을까, 하는 의문마저 든다. 기존의
정치꾼들은 자기 잇속을 챙기며
머뭇거리다가 공천 때가 되면 소속 정당에
납작 엎드릴 수밖에 없는 것이 현실이다.
그러다가 공천에서 배제되면 내부 비리를
폭로하는 경우는 있지만, 그 정도로 정당을
개혁할 만한 동기부여는 어렵다.

국민 중에 일부는 잘못된 정치 논리 덫에
걸려 있다고 스스로 알고 있다. 그러나
알량한 정(情) 때문에 의리인 양 잘못된
지지를 보내고 있는 사람도 많다. 이유는
정치적 논리보다는 지연, 학연 또는
은연중에 기대되는 이익 때문일까? 그러나
이런 현상보다 더 문제인 것은 사람은
바뀔 수 있다는 기대감이 있지만, 선거
자체를 부정으로 시행하려는 음모가 있다면
돌이킬 수가 없을 것이다.

정치 경험상 가장 좋다는 정치는
민주주의라는 것은 주지의 사실이니,
중동의 일부 왕정(王政)국가를 제외하고,
민주주의를 표방하지 않는 나라가 없다.
국민이 주인이요, 그러니 여론이 중요하고,
결국엔 투표로 모든 것을 결정하게 된다.
예전에는 당위성으로 호소했고, 한때에는
음식과 돈으로 얼굴을 맞대고 사정했지만,
지금은 표를 찍는 사람과는 무관하게

의도하는 대로 결과가 나오게 할 수 있다고 한다. 컴퓨터 조작이 가능한 세상이 되었다고 한다. 민주주의는 표(票)로 이루어지는데 그 표를 조작할 수 있다면 기계를 조정할 수 있는 자가 왕(王)이 아니겠소! 상상의 날개가 펼쳐질수록 암담하다.

모든 국가가 외부의 적이 아닌 내부 요인 때문에 스스로 붕괴한다. 대중이 권리만 주장하고 정치꾼이 대중의 비위를 맞추려 할 때 그 사회는 자살 코스로 접어든다. 우리가 진정 걱정해야 할 것은 일본의 우경화도, 중국의 팽창주의도 아니다. 병리(病理)를 알면서도 치유할 힘을 잃은 자기 해결 능력 상실이 더 문제다. 그러면 나라는 타살(他殺)당하기 전에 스스로 쇠락하는 법이다.

소위 "우파(右派)
잘나가는 분"들에게 고(告)함

사람들은 말합니다. 그때 참았더라면, 그때 잘했더라면, 그때 알았더라면, 그때 조심했더라면, 훗날엔 지금이 바로 그때가 되는데, 지금은 아무렇게나 보내면서 자꾸 그때만 찾는다. 5.18 사건도 그때 확실하게 조사하고 결말을 공개했으면 오늘날의 사단은 없었을 것이다. 지금이라도 늦지 않다. 근래에 야기되었으나 정치적 이유로 묻힌 사건들을 철저하게 조사해서 결말을 내야 한다.

선거는 민주주의의 꽃이다. 부정선거의 의혹이 있다면 후일을 위해서 철저히 사실을 확인하고 근절시킬 방안을 강구해야 한다. 국회의원 중에는 부정선거의 피해자는 없을 것이다. 당선되어서는 안 될 사람이 금뱃지를 달았다면 행복해서 입 다물고 있을 것이고, 부정선거 조작팀에 의하여 안배하는 과정으로 당선된 의원이라면 혹시 긁어 부스럼 될까 입 다물고 있지나 않을까? 입에 거품을 품고 부정이라고 외치는 사람은 낙선된 사람일 테니 신경 써서 들어 줄 사람이 없다.

시민단체 또는 학자들이 부정의 흔적을 찾아내어 공론화하면 이에 호응하여 피해 정당에서 철저하게 대응하려는 노력이 없으면 부정의 증거는 영원히 사라질 것이다. 이는 자유 민주주의의 소멸을 방관하는 것이다.

전제 및 독재국가는 권력의 힘으로 자유 투표를 가장(假裝)한 정해진 수순에 의한 정해진 인물을 공인하는 절차를 밟는 것이 천하가 알고 있는 사실이다. 그러나 최근에는 민주주의 국가에서조차 IT의 발달로 사전 조작에 의한 부정을 획책하고 있다는 것이다. 그런 소문이 미국의 대선에서까지 풍자(諷刺)되고 있으니 어찌하리! 한 나라의 권력을 잡으려는 인물이라면 탐나는 기술이 아닐 수 없다. 세계 각국으로 전염병처럼 번져나간다면 진정한 자유 민주주의는 존재할 수 있을까? 조금 미련한 방법으로 불법 입국자를 받아 투표수에 보태려는 나라도 있다. 국가의 정체성이나 민족 갈등은 나중의 문제이고 지금 당장 표를 보탤 수 있다면 무슨 짓거리라도 하려고 하는 것이 정치꾼들의 본능인가?

옛말에 이런 말이 있습니다. "기지는 가급 하나 기우는 불가급 하다. (其智可及,

其愚不可及). 똑똑한 사람은 따라 할 수
있으나, 어리석은 자는 흉내 낼 수 없다"
여러 방면으로 해석이 가능하겠지만
어리석은 자는 체면도 양심도 없을 뿐만
아니라 자기 이익을 위해서 무슨 짓이라도
하는 자이니 이를 어찌 흉내 낼 수 있단
말인가! 무식한 자가 용감하니 어이하리!

그런 무리의 짓이 우리가 잊을만하면 또
터지곤 하는 것이 우리네 정치 현실이다.
민생이라는 미명(美名) 하(下)에 끼리끼리
합리적인 방식을 가장해서 나누어 먹는
현실을 직시해 왔다. 사건이 폭로되어
터지려고 하면 핵심 관련자가 자살로
사라지는 현실도 자주 보도된다. 참으로
괴이한 일이 아닐 수 없다.

중국과 북한을 싸고도는 정도는 평범한
한국민으로서는 도저히 이해되지 않을
정도이다. 미국을 비롯한 수많은
자유우방과의 관계를 무시하면서까지
그들에게 다가가지 않으면 안 될 피할 수
없는 이유가 있음 직하다.

22년 3월 대선에서 보수 우파는 공산화를
막아야 한다는 일념으로 마음졸이며 선거에
임했다. 아직 끝나지 않은 해묵은
전쟁이지만 지난날을 생각하면 그나마
얼마나 다행인지 모른다. 그들은

태생적으로 우리끼리를 내세우며 보호막으로 우리 인간(?) 알박기를 곳곳에 끊임없이 해왔다. 지금 온통 그들의 씨앗이 뿌려져 있는 상태가 아닌가! 이런 상황 속에서 자유롭게 공정한 개혁을 빠르게 이루어 나가기는 쉽지 않을 것이다.

그렇기에 오늘의 "승리에 도취하지 말고" 우선은 소위 우리 편을 재정비하고 대오를 정비하여 결전의 태세를 갖추어야 한다. 논공행상(論功行賞)으로 자체 분란을 초래하거나 분열을 일으켜서는 아니 된다. 현 체재를 뒤엎으려는 집단(공산주의자, 종북 추종자)은 목숨을 걸고 덤빈다. 그러나 자유 민주주의를 공짜로 누리는 자들은 안일하게 자기 이익만 차린다. 그러다가 나라를 통째로 넘기는 회복 불능한 큰일을 당할지도 모른다는 것을 명심해야 한다.

미심쩍은 일들을 과감히 일소하고 새로운 출발을 하기를 간절히 바란다. 적은 항상 내부에 있다. 요즘 나이 탓인가, 눈에 문제가 생겨서인가, 눈물이 많다. 글을 읽어 내려가면서 가슴이 뛰고 이런 현실을 피할 수도, 이겨낼 수도 없겠다는 공감에서 오는 좌절감이 더해져서 나도 모르게 눈물이 난다.

선량의 가면을 쓰고, 국민을 위하는 척하며 패거리끼리 먹이를 찾고, 사정없이 가로챈다. 그들은 잡은 권력을 놓치지 않기 위해서 무슨 짓이든 할 준비가 되어 있다. 그런 그들을 혐오하고 조국의 미래를 걱정하는 양심 있는 사람들은 대부분 침묵하고 있다. 그래서 자신의 실명(實名)으로 협잡 정치꾼을 질타하는 용기 있는 사람을 대하면 숙연해지고, 감탄하며 공감을 표한다.

내가 보고 읽는 많은 글과 동영상의 주인공들을 생각하며 잠시 안도했다가도, 막상 현실을 접하면 도처에 산재한 피에 굶주린 듯한 홍위병들을 만나곤 한다. 우리에겐 독일이 나포레옹 군대에게 패망한 후 독일 국민을 각성시킨 "독일 국민에게 고함"을 외친 피히테 Fichte, Johann Gottlieb 같은 선각자도 없다.

누가 있어 패배감에 빠져 있는 국민을 일으켜 세울까, 누가 있어 어려운 환경에서 고군분투하는 흩어져 있는 애국자를 단결시킬 수 있을까! 소리는 작지만 정의롭고 울림 있는 외침은 오늘도 나의 심금을 울린다. 외소하고, 나약하고, 나서지 못하고, 뒤에 숨기만 하는 내가 부끄럽다.

철학 없는 정치, 도덕 없는 경제, 노동 없는 부(富), 인격 없는 지식, 인간성 없는 과학, 윤리 없는 쾌락, 헌신 없는 종교; 간디가 손자 이룬 간디에게 남긴 사회를 병들게 하는 일곱 가지 악덕(惡德) (7 Blunders of the world)이다. 일곱 가지 어느 하나 경계하지 않을 것이 없다. 인간은 선천적으로 사악(邪惡)하지는 않다고 믿고 싶다.

제22대 국회의원 당선자들은 스스로 4번 놀란다고 한다. 첫째는 나같이 형편없는 놈도 당선된다는 것에 놀라고, 두 번째는 모든 국회의원이 나같이 형편없다는 것에 대해 놀라며, 세 번째는 이런 놈들이 국회의원을 하는데도 나라가 그럭저럭 돌아간다는 것에 놀라며, 네 번째는 그럼에도 불구하고 이런 놈들이 다음에 또 당선된다는 것에 놀란다.

위의 글은 한국의 정치 현실의 일면을 잘 표현한 것 같아 옮겨본다.
40여 년간 제약회사에서 CEO 재직 후 말년에 신학대학원을 나와서 목사로 현재 대형 병원에서 급여 없이 원목(院牧)으로 헌신하고 있는 이광천 목사의 글이다.

왕따 당하고 있나요?

"인간은 타인의 영혼을 파괴할 때 자신에게 힘이 있음을 강렬히 느낀다[6]. 교내 이지메 현상은 교장을 비롯한 교직원 모두가 자기 학교에서는 이지메가 있었다는 것을 극구 부인하고 학부모나 지역주민은 괜히 학교 분위기만 어수선해지고 학교는 오히려 피해자라는 괴변을 펼친다. 바로 이런 학교의 성역화가 학교를 이지메 온상으로 만든다.[7]

'집단 따돌림' 현상은 일본에서 수입된 못된 관행이다. 일본은 집단의식을 지나치리만큼 강조하는 사회이다. 집단으로 모여 무슨 일을 도모해야 안심이 되고 직성이 풀리는 기질이다. 이는 일종의 강박관념과도 같다. 그래서 해당 집단에 반하는 생각이나 행동을 하는 사람은 집단이 나서서 대놓고 따돌리고 학대한다. 이것이 이른바 '이지메(왕따, 집단 따돌림)'이다. [네이버 지식백과]

---

[6] 미국 사회철학자 에릭 호퍼
[7] 이지메의 구조: 나이토 아사오 지음

우리나라는 지금 힘 약한 집단이 되어 힘센 집단, 북한(핵보유)과 중공(자칭 G2)에게 왕따를 당하고 있는 것은 아닐까? 왕따는 당하면 당할수록 더욱 자주, 더 세게 당하게 되어있다. 더 험한 욕을 거침없이 하고, 주고 또 주어도 더 달라고 위협한다. 힘센 집단은 무엇이든 자기편에 거슬리거나 대항하는 언행을 용납하지 않고 억압하고 묵살하려고 한다. 영원한 그들의 노예로 만들어 가고 싶은 것이다.

힘센 집단의 속성은 굴복하면 할수록 더욱 기승을 부린다. 당하는 쪽은 더욱더 비굴하게 굴종하도록 길들여지고 있다. 당하는 이들에게는 집단으로 대항하여 상대의 기(氣)를 꺾는 것만이 살길이다. 먹이사슬을 끊어 놓아야 한다. 역사의 그런 작은 힘들이 우여곡절을 넘어 오늘이 있게 한 것이 아닐까!

명절이 되면 고향을 찾아가는 동물적 본능이 작동하는 것이 우리네 삶인데 팬데믹이 우리를 고향으로부터 갈라놓고 있다. 서글픈 것은 팬데믹이 모두 팩트가 아니고 정치의 탈을 쓰고 부풀려지고 있고, 이용당하고 있다는 의구심 때문이다.

우리가 진실의 고장이라고 흠모하던 미국도 엉터리 진보주의자(liberal) 때문에

선동과 거짓의 싸움터로 변모한 지 오래인 것 같은데, 우리는 아직 그 미국을 제대로 알지 못하고 있는 것도 한심한 일이다. 이제 미국도 우리나라와 마찬가지로 선(善)과 악(惡)이 싸우고 있는 현실에 처해 있고 많은 사람이 그 판단을 잘못하고 있는 것도 우리나라 현실과 흡사하다.

우리가 자랑하고 사랑하는 변함없는 조국은 자기 국민이 북에서 불태워 죽여도 고맙다고 칭찬할 정도로 어느 쪽이 적(賊)이고 아군(我軍)인지 분간이 안 가는 나라에 살고 있다. 그래서 캐나다든, 미국이든 정붙이고 살라고 울먹이며 호소하는 사람이 늘어나고 있는 것은 아닐까.

우리, 대한민국은 지금 세상으로부터 왕따를 당하고 있는 것은 아닐까?

우리, 조용한 다수는 지금 정부로부터 왕따를 당하고 있는 것은 아닐까?

이중과세와 정치 현주소

신정과 구정, 이중과세(二重過歲)하는 나라는 우리나라뿐이지 않을까? 다만, 이스람교 국가의 새해 '하리 라야'를 지내는데 일반적 태양력 새해를 어떻게 보내는지 모르겠다. 한국은 일제 강점기에 신문물(新文物)이라고 해서 일본과 같이 서양식 일력을 쓰도록 강요당했다. 그래서 음력설은 구정이라 하고, 양력 1월 1일을 공식적인 새해의 시작으로 삼았다. 양력을 쓰기 시작한 동기가 서양문명을 우리 스스로가 받아들인 것이 아니기 때문에 일부에서는 일본의 잔재라고 생각하고 못마땅하게 생각하지만 세계가 그렇게 돌아가고 있으니, 신정은 부정할 수가 없다. 다만, 민족 고유의 명절이라는 명분으로 구정(설)이 국경일로 지정되었다가 폐지되기가 거듭되었다.

그러나 그 내면을 보면 양력의 새해는 일제가 가져다준 새롭게 채택된 새해(新正)이다. 유구한 역사를 통해 기리고 즐겨왔던 고유 명절을 송두리째 버리기가 어렵기도 하고, 신정을 시작하게 된 과정에 일본이 내재 되어있는 점이 좀 찜찜한 구석이 있는 것도 현실이다.

근대사에서 일본의 팽창과 중국, 러시아의 흥망이 한반도를 무대로 이루어졌기에 세계사 속의 한반도를 조명해 봐야 하지만, 우리는 일제 강점기 조선의 역사만을 바라보기 때문에 우리 국민이 대일(對日) 감정에 호소하면 잘 먹히기 쉬운 환경에 놓여있다. 이러한 국민의 정서를 받들기 위하여 선물이라도 주듯이 정권에 따라서 두 새해맞이가 맞물려 가고 있다. 국경일이 휴일이라는 의미에서도 일반 국민이 휴일이 늘어 반길 일이라고 생각하는 것은 정치인의 착각이 아닐까?

우리 주변국 상황을 보면, 중국은 구정을, 일본은 신정을 새해로 맞이하고 있다. 우리는 둘 다 채택하여 이중 과세를 하고 있다. 아직도 우리는 새로운 해의 시작점도 확실하게 기준을 잡지 못하고 있다. 어찌 보면 (넓게 해석하면) 친중(親中)이냐, 친일(친서방)이냐를 가늠하지 못하고 엉거주춤하고 있는 현상과도 비견된다.

이런 국민감정을 교묘하게 이용하는 것이 문(文)정부가 하는 외교의 현주소이고, 또한 이를 정책의 당위성으로 포장하고 있다. 우리(동포)끼리니까 이북도 좋고, 중국도 일본에 원한이 있으니까 우리 편이라는 엉뚱한 등식을 만들어 가고 있다. 북한이 중국편이니 중국이 원한을 갖고 있는 일본이 공동의 적이 된다는 것이 친중 정권의 논리이다. 친중이나 친북 세력이라고 하더라도 국민 저항 때문에 미국을 적국으로 만들 수 없고, 일본은 일제(日帝)시대 반일 감정으로 적으로 만들기 쉬웠을 것이다. 그런 결과로 중국과 북한은 우호적인 나라이니 우리 국군은 무장해제 해도 좋고, 한미(韓美) 합동군사훈련은 연기하고, 적대국(?)인 일본을 견제하기 위한 죽창가(竹槍歌)를 부른다.

우물 안의 개구리에게 세상 밖을 보여줄 방법을 강구해야 한다. 늦어지면 외세에 의해서 강제적으로 당하면서 배워야 할 것이다. 만일 그런 경우가 오면 아무리 좋은 이웃이라고 하더라도 우리 스스로 하는 것이 아니기 때문에 상처가 남게 될 것이다. 걱정이 태산 같다.

설을 축하하고 즐겨야 할 연휴가 중국발(中國發) 미세먼지로 더욱 답답하다.

인 과 율

인과율(因果率)이란 어떤 상태에서 다른 상태가
필연적으로 일어나는 경우의 법칙성을 일컫는다.
인과의 개념에서 원인과 결과를 떼놓을 수 없다.

그런데 우리네 현실은 원인에 따른 결과에 대하여
너무나도 쉽게 생각하는 것은 아닐까!
간단하지 않다. 공부하자!

부정선거를 부정하는 야당과 부정선거 획책과의
인과관계는?

사전투표를 부추기는 야당과 부정선거 방지대책과의
인과관계는?

부정선거를 획책하는 자와 부정선거를 방치하는 자의
인간관계는?

프레임 정치 벗어나기

프레임 frame은 인간이 성장하면서 생각을 더 효율적으로 하기 위해 생각의 처리 방식을 공식화한 것을 뜻한다. 언어학자 조지 레이코프 George Lakoff는 프레임을 '특정한 언어와 연결되어 연상되는 사고의 체계'라고 정의한다. 프레임은 우리가 사용하는 모든 언어에 연결되어 존재하는 것으로, 우리가 듣고 말하고 생각할 때 우리 머릿속에는 늘 프레임이 작동한다는 주장이다. 조지 레이코프가 발표한 프레임 이론 Frame theory에서 프레임이란 현대인들이 정치·사회적 의제를 인식하는 과정에서 본질과 의미, 사건과 사실 사이의 관계를 정하는 직관적 틀을 뜻한다.

정치계에서 선거 전략상으로도 프레임은 중요한 의미를 갖게 되는데, 정치적 상황을 유리하게 이끌 때에도 프레임은 유용한 도구가 된다. 조지 레이코프의 프레임 이론에 따르면, 전략적으로 짜인 틀을 제시해 대중의 사고 틀을 먼저 규정하는 쪽이 정치적으로 승리하며, 이 제시된 틀을 반박하려는 노력은 오히려 해당 프레임을 강화하는 딜레마에 빠지게 된다 [8].

최근 몇 년간 우리나라는 정치적으로 극심한 이념과 사고 인식체계의 혼란에 빠져 있다. 독보적 정신적 정치지도자가 없고 더욱이 변변한 야당이 존재하지 않는 상황에서 정부와 여당의 일방적인 프레임의 덫에 갇혀 많은 국민들이 그들의 의도대로 끌려가고 있다. 지난 예를 보면, 사회적 격론을 일으키고 있는 우한 폐렴의 팬데믹 상황을 보자. 정부 여당은 보수를 지지하는 8·15 집회가 확산의 원인이라고 하며 주최측인 교회를 집중적으로 공격하고 있다. 항간에는 그 프레임이 그대로 먹혀서 교인이 죄인시 되는 경향마저 있다. 심지어 일부 기독교 목회자마저 집회를 주도했던 목회자들을 원망하며 잠시 자기들은 교인이 아닌 척하고 있다.

만들어진 프레임에서 일단 벗어나 우물 안에서 나와보자는 것이다. 전염병 확산 금지가 우선이라는 명분은 있지만, 벼룩 잡겠다고 초가삼간 태울 수는 없지 않겠는가! 이런 교회의 정치문제 개입을 반대하는 측은 거리에 나서서 주장하는 문제의 근본을 거론하지 못하고 종교의 정치 관여에 초점을 두고 있다. 즉,

---

8) 위키백과

유식하다고 자칭하는 종교인 중 일부가 정교분리(政敎分離, Separation of Church and State) 원칙을 내세워 종교인은 정치에 나서지 말아야 한다고 주장한다. 정교분리는 세속 권력과 종교 권력을 분리하라는 의미이지 종교인이라면 정치를 해서는 안 된다는 의미가 아니다. 오히려 그런 행위는 특정 종교에 종사하고 있다는 이유만으로 참정권을 침해하는 행동이 된다.

무식하게 예기하면 자기에게 유리한 입장을 만들기 위해서 상대편에게 불리한 덫을 씌우는 것이 소위 프레임이란 것이다. 거짓도 지속적으로 반복하면 사실로 착각하는 인간의 습성을 악용하는 기만적 전술로 악용하려는 의도인 것이다. 야당도 없고 존경받는 지도자도 없는 때이니만큼, 종교인이 각성하고 앞장서야 될 때라고 생각한다. 가까운 우리의 산 역사, 삼일운동에서 보더라도 기독교, 불교를 위시한 모든 종교 지도자들이 앞장서서 독립운동을 주도했음을 알 수 있다. 지금 정권의 프레임에 갇혀서 비위를 맞추면 종교가 없어지는 나라가 될 수도 있지 않겠는가!

우리나라 헌법 20조는 다음과 같다.

1항 모든 국민은 종교의 자유를 가진다.
2항 국교는 인정되지 아니하며, 종교와 정치는 분리된다.

한국은 미국과 독일에 가까운 정교분리를 채택 중이다. 그렇기에 자신의 종교와 연관을 지어 정치적 신념을 밝히는 행위는 적어도 한국과 미국, 독일 기준으로 정교분리에 위배되지 않는다. 이를테면 마틴루터킹 목사, 김수환 스테파노 추기경, 전광훈 목사 등은 스스로 종교와 정치적 신념을 연관시켜서 공적(公的)으로 말하고 있다.

정교분리에 대한 또 다른 흔한 오해는, 이것을 마치 "종교의 정치화", 즉 종교가 정치를 잠식해 들어가는 상황에 대한 방어권으로만 이해한다는 점이다. 정교분리는 이뿐만 아니라 "정치의 종교화", 즉 정치인에 대한 신격화 내지 정치권력의 우상화를 막는 근거로도 활용될 수 있다.[9]

신세계 정용진 부회장의 "멸공" 외침에 존경과 함께 두려움을 나타내는 이들이 많다. 자유 민주주의 국가에 살면서 왜 그런 생각을 할까? 혹시 기업 경영상의

---

[9] 나무위키

불이익을 당하지 않을까 염려해서다.

경제신문사 사장을 역임했고 유튜브 채널을 운영하고 있는 모(某) 인사가 '본인은 경영학 박사로서 경영인은 정치에 중립이어야 한다고 지금까지 생각했다'고 한다. 그러나 정 부회장을 보고 공산주의가 되면 기업도 없어진다는 생각으로 그런 용기가 나오는 것은 아닐까 생각하며 존경한다고 했다. 솔직하게 말하면 보복이나 불이익이 무서워서 바른말을 못한다는 표현이 "중립을 지킨다"는 것이다.

종교인도 마찬가지다. 뒷자리에 숨어서 평론만 하는 목회자들이 종교의 정치적 중립이라는 얘기를 한다. 그러면서 반친중, 반종북 세력의 타도를 외치는 종교인들을 비판한다. 정교분리, 종교의 자유, 종교의 정치적 중립은 원래 종교를 정치권력으로부터 보호하기 위해서 하는 얘기이지 종교가 정치를 좌지우지하는 것을 우려해서 하는 말이 아니다.

기업인이든 종교인이든, 아니 온 국민이 공산화가 되면 우리가 누리고 있는 모든 자유, 평등, 정의, 공정 등 우리가 매일 누려야만 되는 모든 것이 사라진다는 것을 명심해야 한다. 비겁해지면 자유민주주의는 지킬 수 없다.

건국 대통령 이승만이 하와이에서 독립운동 할 때 1923년 태평양 잡지 "공산당의 당부당(當不當)" 기고문에서 다섯 가지 이유를 들어 공산주의가 실패할 것을 예측했다. ① 재산을 나누면 근로 의욕이 꺾인다. ② 기업가를 없애면 혁신이 이루어지지 못한다 ③ 지식인을 없애면 모든 사람이 우매해진다. ④ 종교를 없애면 도덕이 타락한다. ⑤ 소련을 조국으로 믿으면 배반당한다. 이렇게 타당한 진리를 아직도 모르고 공산주의 예찬자가 이 땅에 존재하고 있다.

유독 한국에 좌경인사들이 많은 이유를 (외신이 보도한 내용) 이미 우리가 오래전부터 알고 있었던 터라 새삼스러울 것도 없다. 북한 통전부에서는 방북한 인사들의 신상을 사전에 면밀히 파악하여 활용할 가치가 있는 정치인, 종교인, 언론인, 운동권 등을 표적으로 삼아 미인계(美人計)로 공략한다. 이들은 북한에서의 행적이 폭로될까 두려워 좌경 친북 성향의 인간으로 변하고 북한의 눈치를 보는 좌경인사로 변하는 것이다. 종교인이라고 하더라도 종교를 용인하지 않는 북한을 옹호하는 꼭두각시로 변할 수밖에 없는 것이다!

북한 덫에 걸린 인사들의 행동거지를 입증하기 위해서는 북한의 폭로가 있어야 하니 통일이 되지 않으면 실현될 수 없을 것이다. 그래서 그들은 대한민국이 주도하는 통일을 원하지도 않을 것이고 자유 민주주의 수호자를 보수 꼴통이라고 하며 경계할지도 모른다. 또한 그들은 소위 한국에서의 사회적 지위가 상당하고 수적으로도 적지 않은 만큼 여론을 호도하며 자기 보호를 하려고 기를 쓴다.

때로는 민주 투쟁으로, 때로는 인도주의로, 때로는 동포애의 탈을 쓰고 여론을 호도하기 일쑤이다. 이런 배경 때문에 대한민국의 자유민주주의는 나라의 주인인 우리 개개인이 정신을 똑바로 차려서 지켜야 한다.

외로운 무궁화

COVID-19는 상가(商家) 문을 닫기도 하고 산책길을 막기도 하여 마음 놓고 내가 갈 길을 택하지 못하는 일상(日常)의 방해꾼이 되어있다. 활짝 열린 피천득 산책로10)를 걸으며 기쁨도 만나고 외로움도 꺼내 생각하며 걷고 있다. 화사하게 피었던 벗꽃, 개나리, 진달래는 아쉽게도 이미 아름답던 꽃말을 뒤로한 채 여전히 오가는 사람들을 반기고 있다.

요놈들 가고 나면 다른 친구들이 화사한 꽃망울을 터트리고 반기겠지만, 우리네 마음속엔 봄의 첨병(尖兵), 벗꽃이 곧 봄이 아니던가! 긴 겨우내 고대하며 기다리고 있다가 아련히 떠오르다 아지랑이처럼 사라지고 나면 벌써 봄이 가고 있음이 아쉽다. 아직은 진달래, 개나리가 있으니 함께면 좋았을 걸 하는 친구들이 떠오른다. 아쉬움이 있음은 봄이 사라져 간다는 느낌일까, 이 꽃 내음을 그대들 창가에 머무르게 할 수 없기 때문이다.

산책하는 사람들은 대부분 마스크를 쓰고

---

10) 강남 고속터미널 5번 출구부터 동작역까지 반포천을 따라 이어지는 산책로

있다. 카페나 음식점에는 예전과 다름없이 꽉 찬 좌석에서 각자가 재미있는 이야기들을 쏟아내고 있는 모습 너무 좋다. 보는 것만으로도 분위기가 나에게도 전염되어 그들 틈에 살며시 끼여 마음을 섞고 싶다. 언젠가 우리도 그들처럼 테이블 하나 차지하고 커피 향에 취하면서 그간의 못다한 얘기 꽃을 피우겠지.

혼자 감상하기 아까워 따끈따끈한 사진을 친구에게 보내며 같이 걷고 있는 듯 감상해 보라고 권유해 본다. 이 아름다운 피천득 꽃길에는 벚꽃과 개나리가 한껏 만개하여 멋을 자랑하고 있다. 그러면서 문득 이곳에 보이지 않는 무궁화에 대하여 생각해 본다. 초등학교 시절에는 창경원에 놀러 가는 것이 상당한 횡재(橫財)였던 기억이 있다. 동물 구경도 하고 벚꽃 나무 밑에 온 가족이 둘러앉아 도시락을 먹으며 창경원에 가득찬 사람 구경도 실컷했다.

1986년 창경궁 복원 사업 당시 일각에서는 창경원 시절 일제가 심었다는 벚나무들을 모두 없애야 한다는 주장과 그냥 나무이니만큼 그대로 두자는 주장이 맞서기도 했지만, 결국 벚나무 일부는 베어지거나 일부는 서울특별시 여의도 윤중로 등으로 자리를 옮겨서 심기도

하였다. 창경원 시절부터 사육해 온 동물들과 식물들은 경기도 과천시에 있는 서울대공원으로 옮겨졌다.[11]

우리나라의 벚꽃 거리는 일본보다 많다. 서울에도 가 볼만한 벚꽃 거리가 여러 곳 있지만, 봄이 되면 전국 웬만한 도시에서는 벚꽃 축제가 열리고 있다. 여의도 윤중로는 창경궁의 벚나무를 옮겨심었다고 하지만, 다른 지역의 벚나무는 각(各) 지역에서 심었으리라 미루어 짐작한다. 우리는 이런 현상을 남의 얘기 변명이라도 하듯이 벚나무의 원산지는 제·주도라고 떠들어댄다.

그러나 일제는 집요한 구석이 있다. 한반도 한민족 정기의 맥(脈)을 끊기 위해서 산에 철심을 박아 놓았다는 얘기도 들었다. 지금도 독도가 자기 영토라고 주장하기 위하여 끈질기게 역사적 억지 사료를 들이대며 외교전을 펼치고 있다.

만일 일제가 친일 감정을 한국인에게 뼛속 깊이 심어 놓기 위해 전국 방방곡곡에 벚나무를 심었다면 경각심을 가지고 대해야 하는 나라임에 틀림이 없을 것이다. 항일(抗日), 반일(反日), 죽창가를 불러야 한다는 얘기를 들으며 의아한

---

11) 나무위키

생각이 든다. 해방 직후 한국 측은 1946년부터 매년 연합국총사령부를 통하여 대마도(對馬島) 반환을 요청했다. 죽창가 대신에 대마도 반환 요청을 해야만 되는 것은 아닌지 반성해야 할 때이다.

양동이에 '게'를 한 마리만 담아 두면, 알아서 기어 올라와 빠져나갈 수도 있다. 그러나 여러 마리의 '게'가 함께 있으면 한 마리가 나가려고 할 때 다른 녀석이 그 '게'를 잡고 끌어내려서 결국 모두가 못 나가게 된다고 한다. 이를 '크랩 멘탈리티 crab mentality'라고 한다. 남들이 성공하는 모습을 눈 뜨고 보지 못하고 끌어내리려는 마음가짐과 태도를 말한다. 우리네 사는 모습이 이를 닮지 않았나 반성한다. 남이 하는 것이 좋아 보이면 우르르 따라 하고, 내가 잘되기 위하여 아군과 적군을 가리지 않고 총질하는 정치판과 비슷한 현상이다.

'냄비근성'이라는 말이 언제 시작됐는지는 정확하지 않으나, 빨리 끓어오르고 빨리 식는 습성을 이르는 말이다. 일찍부터 한국 사회에서는 이런 점을 끈기없고 지조 없고 일관성 없는 속성이라 규정하여 열심히 깠다. 한국 사람들은 천성적으로 흥분을 잘하면서 돌아서면 잊어버리는 기질이 있다. 그래서 사회적으로 냄비근성 같은 현상이 생긴다는데, 이는 마치 식민사관처럼 자학적인 굴레를 우리 스스로에게 씌웠다는 설(設)도 있다.

일본에 주재하고 있을 때, 거리에서 한국 사람은 금방 알아볼 수가 있었다. 헤어 스타일이 모두 같기 때문이다. 지금도 남이 하면 나도 해야 한다는 의무감 같은 것을 느끼며 사는 사람들로 보일 정도로 '따라하기 쟁이'들이다. 세상에는 본받아 따라 하면 좋은 일들이 많다. 그러나 우리가 맹목적으로 남이 하니까 따라 하는 작태에서 벗어나 지역사회든 개인이든 '개성(個性)'과 '정체성(正體性)을 찾는 노력을 했으면 좋겠다.

설마 '벗꽃거리'가 '남이 하니 나도 한다' 식(式)의 '따라하기'로 만들어진 것은 아니라고 생각하고 싶다. 무궁화는 많은 새로운 품종이 개발되어 지금은 100 여종이 넘는다고 한다. 무궁화의 영어 명(名)은 'Rose of Sharon (샤론의 장미)라고 한다. 샤론은 이스라엘 팔레스타인 지역의 척박한 땅이며, 성경에서는 예수로 비유하며 찬송가로 부르기도 한다. 이런 전설적인 무궁화가 어떤 인연으로 우리나라 꽃이 되었는지 불가사의하다.

사실 무궁화는 세계적으로 널리 사랑받는 꽃이다. 그러나 우리나라에서는 낙화가 잘 되어 지저분하다, 진딧물이 많이 낀다, 피부병을 유발한다는 등등 천덕꾸러기처럼 취급을 받기도 했다. 개량종은 단조로우면서도 조용하고 순수하고 깨끗하고 아름답다. 그래서 은은하면서도 아름다운 우리 민족의 정서를 닮은 꽃이 아닌가 싶다. 그러나 어디를 가든 우리나라 꽃 무궁화는 만나기 어려운 현실이 아쉽다. 무궁화의 아름다운 색깔과 깊은 의미가 전국 방방곡곡에서 피어나기 염원한다.

하기야 백주에 북한 깃발을 들고 김정은을 환영하려는 자(者)들이 있고, 국가 행사에 '국기에 대한 경례' 조차 거부하는 정치꾼이 있을 정도이니 진즉에 국기와 나라꽃에 관심 가지는 것조차 멀리하는 것은 당연지사(當然之事)가 아닐까?

역사 다시 생각해 보기

중국이 안하무인(眼下無人)으로 설치는 것은 따끔한 맛을 못 봐서 그렇다. 그들은 늘 상대가 강하면 굽히고 약하면 밟으려고 한다. 우리는 1898년 중국 사신을 영접하던 영은문을 헐고 독립문을 세워 중국으로부터 독립 의지를 다짐했다. 그러나 일부에서는 사실을 감춘 채, 중국 언급을 회피하고 일본으로부터의 독립선언이라고 일본팔이를 하는 작자들이 있다.

이렇듯 가까운 역사도 잊거나 왜곡하고 있으니, 발해, 고구려의 역사는 까맣게 잊은 것은 아닐까! 만리장성은 흉노족 등의 유목 민족의 침입을 막기 위해 중국의 고대 진나라(시황제) 때 기존의 성곽을 잇고 부족한 부분은 새롭게 축조하여 만든 거대한 성곽이다. 그들이 두려워한 북방의 강성한 민족 중 하나가 우리 조상들이다.

중국 대륙은 한족(漢族)이 아닌 이민족(異民族)의 지배를 받은 시기가 길었다. 속국이었거나 조공을 바치는 정도가 아니고 새로운 이민족의 국가가 된 것이다. 중국에서 한족이라는 개념이

성립된 한(漢)나라 이후 중국의 역사는 철저한 이민족에게 지배당한 역사였다. 거란족의 요나라, 여진족의 금나라, 그후 몽골이 세운 원나라에게 나라를 내어주고, 다시 여진족의 청나라가 세워진다. 그뿐 아니라 근현대에서는 주지하는 바와 같이 청일전쟁에서 일본에 패퇴하고 난 뒤 일본에 의하여 만주국이 세워지기까지 한다.

그러한 자신의 아픈 역사를 감추려고 안간힘을 쓰고 있는 것을 보면 안쓰럽다. 그런 짓을 용인하고 옹호하는 정신 나간 한국인이 있다는 것도 너무나 한심하다. 한국의 역사는 일제 강점기에 일본 사관(史觀) 입맛에 맞게 개작(改作)되었다고 한다. 그 시대에 일본 선생에게 배운 우리 역사학자들이 배운 그대로 지금까지도 학생들을 가르치고 있다는 것이다.

그래서 그럴까! 역사는 일본이 그들 입맛에 맞게 개조한 한국의 역사를 배운 세대와 공산주의 이념에 물든 세력이 혼재되어 이것도 저것도 맞을지도 모른다는 혼돈에 빠져 있는 우리 사회가 아닐까? 일본이라면 죽창 들고 나서서 맞서야 한다고 하는 인간들은 정작 싸워야 할

목표를 모른다. 6.25 동란을 일으키도록 북한을 조정한 뒷배였던 소련과 중국을 잊었단 말인가!

나는 이번 베이징 2022 동계 올림픽에서 중국에 깊숙이 뿌리 내리고 있는 한국 전통문화를 보고 너무도 희열을 느꼈다. 언론에서는 중국이 한국의 고대 역사를 비롯하여 전통문화까지 동북공정의 일환으로 모두 중국의 역사와 문화라고 억지 주장을 지속적으로 펴고 있다.

현재의 중국 국경 안에서 전개된 모든 역사를 중국 역사로 만들기 위해 2002년부터 중국이 추진한 동북쪽 변경 지역의 역사와 현상에 관한 연구 프로젝트, 소위 동북공정을 실시하고 있다. 혹자는 베이징 동계올림픽 개막식의 행태를 보며, 중국이 한국 문화를 중국 속국 문화로 둔갑시키기 위한 동북공정의 일환임을 분노하고 있다.

한국의 옷, 음식, 놀이 풍습까지 올림픽 관련 홍보물에 삽입시키고 있다. 이 얼마나 자랑스러운 일인가! 이제 우리는 산동반도(山東半島)에서 만주 벌판 전반이 옛 한국, 고조선의 영토였고, 그래서 아직도 많은 한국계(속칭, 조선족)가 그곳에 살고 있고, 전통 또한 계승되고 있다고 세계인에게 알려야 하는 좋은 기회가 왔다.

중국스러운 술수에는 되치기가 먹히는 기술이다.

세계에 외치자.
"보아라. 옛 우리 땅에 뿌리내려 아직도 살아 숨 쉬는 한국 전통문화를 중국인이 저토록 좋아하고 기리려고 한다. 우리의 영토를 되찾자!"

설령 우리가 중국 현지의 자장면과 사뭇 다른 자장면을 좋아한다고 해서 자장면이 한국의 고유 음식이라고 주장할 수 없듯이, 중국 사람이 김치를 좋아한다고 해서 김치가 중국 고유의 음식이 되지 않는 것과 같다. 하물며 한민족(韓民族) 고유의 문화를 송두리째 뽑아 먹으려고 하는 것은 언어도단(言語道斷)이다..

걱정하지 말고 중국에서 살아 숨 쉬고 있는 한국 민속 전통을 소중히 여기고 세계에 알리자. 세계 도처에서 한복 입고, 한국 음식 먹고, K-pop을 즐겼으면 좋겠다. 언젠가는 그 땅도 되찾고, 중국의 소수 민족이 아닌 대한국민으로 함께 하는 날이 속히 오기를 고대해 본다.

임금님 귀는 당나귀 귀

그리스 신화의 내용 중에 하나이며
유럽과 페르시아에 널리 퍼져있는
이야기인데 동남아에서는 유일하게 한국에
잘 알려진 이야기라고 한다. 왜 하필이면
한국일까!!

사실을 사실대로 말하지 못하는
현실이지만 결국은 다 알게 되는 것이
세상사이다.

법으로, 권력으로, 가짜뉴스로 눈과 귀와
입을 막으려 하면 더 크게 "임금님 귀는
당나귀 귀"라고 외쳐야 한다.

신화가 우리에게 던지는 진리이다.

아파보면 아는 것들

This too shall pass
이 또한 지나가리라.

Pinpoint Poem 촌 철 시

아~ 팬데믹

맑은 푸른 하늘을 바라볼 뿐
풀, 나무, 꽃은 마음속의 그림이다.

꽃길은 모두 막혀 있다.
사회적 거리두기라는 핑계다.
생명 구하기라며 생색내며, 의시(依恃) 댄다.

그렇다 하더라도 박차고 나와
하늘에 비춰진 자연이나마 구가(謳歌)하자.

미국에서 코로나 백신 접종

오늘 코로나 백신 접종을 했다. 딸래미가 미리 백신 접종 신청을 해놓은 덕분에 미국에 온 지 며칠 되지 않아 접종하러 인근 약국으로 갔다. CVS라는 대형 체인 약국 안에 설치된 주사실에서 신분을 확인하고 주사를 맞는다. 백신 접종이라는 약간의 두려움과 한국에서라면 어떤 혜택 같은 생각이 드는 화제의 특별한? 접종이 너무도 싱겁게 끝이 난 것이다.

아침 11시에 주사를 맞고 5시간이 흘렀지만, 특별한 징후는 없는 것으로 보아 나이가 들었다는 증거는 아닐까도 생각해 본다. 왜냐하면 젊은이일수록 외부로부터 감기 등 유사한 면역 경험이 적어서 백신에 대한 저항이 커서 후유증도 크다는 얘기를 들었다.

여기서는 한국에서 주로 접종하는 문제의 아스트라제네카 Astra Zenecas는 아예 배제된 상태이고, 모더나 Moderna 혹은 파이자 Pfizer 중에서 선택해서 맞을 수가 있으니까 한국에서와 같이 백신에 대한 괴담 같은 것은 없다고 한다.

한국은 당국이 정해 주는 대로 접종을

받아야 하는데 75세 미만의 사람들은 말도 많은 아스트라제네카를 접종해야 한다. 집사람이 아스트라제네카 접종 대상인데, 부작용이 많다는 소문 듣고 겁먹은 상태이고, 백신 종류를 '선택할 수가 없는 실정이다. 백신 접종을 하지 않으면 앞으로 출입국도 할 수 없는 지경이라고 하니 울며 겨자 먹기로 미국행을 선택했다. 백신까지도 미국에서 맞아야 하나 잠시 혼미했지만, 집사람도 안심하고 접종한다는 과제가 있어 미국에서 백신을 선택해서 접종하기로 한 것이다. 나의 경우 파이자 접종 대상이지만 실제로 차례가 되도록 백신의 양(量)은 충분할지도 의심이 간다. 그간 행정당국이 대국민 신뢰를 잃어버리고 있기 때문이다.

미국은 접종 백신의 종류는 선택이 가능하지만 의사, 교사 등 직업군으로 나누어 순차적으로 접종한다고 한다. 일부 교민은 한국 소식을 너무 자주 접하다 보니까 미국도 백신 부족 현상이 있지 않을까 지레짐작 겁을 먹은 사람이 많은가 보다. 그래서 자기 직업을 속여서 먼저 접종받았다가 발각이 되어 회사에서 쫓겨나는 사람도 있었다고 한다. 아는 것이 병인지, 한국인의 병인지 모르겠다. 아무튼 한국 사람들 무능한 정부 때문에 생명을 담보로 모험하는 격이다.

미국에 사는 친구는 백신 접종을 받지 않겠다고 한다. 의사인 관점에서 보면 새로운 방식으로 너무 빨리 개발된 신약이므로 향후 인류에게 어떤 신체적 반응이 있을지 모른다는 두려움 때문이라고 한다.

지금 지구는 일일생활권이 되어 지구 어느 구석에서 유행병이 퍼지면 세계로 번질 가능성이 커졌다. COVID-19가 발생 원인이 인위적일 가능성이 완전히 배제되지 않고 있다. 만일 진정 그렇다면 팬데믹을 앞세워 지구를 지배하려는 집단이 생기지나 않을까 우려된다.

과학의 발전이 인류의 생활을 윤택하고 수준을 높여 왔다. 그러나 앞으로도 선(善)한 방면으로 기여가 될지 문외한이기 때문에 두려움이 크다.

백신 접종 거부하는 친구의 논리에 동의하지만, 그런 결단을 내린다는 것도 필부(匹夫)로서는 쉽지 않은 일이다. 어렵더라도 스스로 선택할 수 있으면 나은 편이다. 만일 나의 선택을 강요당하는 현실에 맞다들리면 어찌할꼬!!

팬데믹의 바같 풍경

오늘 서울 날씨는 전형적 한국의 가을 날씨이다. '하늘은 푸르고 높기만 하다. 그간 비바람 불고 오락가락하던 장마도 다 지나간 듯하다. 다만 애석하게도 우리의 문밖출입은 아직도 찜찜한 기분인 것은 나만의 생각은 아닐 것이다. 솔직히 작년만 해도 하늘을 보기보다는 좀 먼 곳을 바라보면서 나름의 방법으로 미세먼지를 판단하는 것 외에는 하늘을 쳐다보는 일은 별로 없었던 것 같다.

이처럼 우리는 지금 누리고 있는 것에 대하여는 크게 관심을 갖지 않음을 새삼 느끼고 있다. covid-19로 인해서 바깥출입이 자의반 타의반으로 제약을 받게 됨으로써 우리의 관심은 예전에 누리던 평범한 일상으로 되돌아간 느낌이다. 자주 만나던 친구는 잘 있는지, 동네 카페에는 어떤 사람들이 앉아 있을까, 자주 가던 맛집, 공원은 물론 산책 길섶의 이름 모를 풀이랑 하늘의 색깔조차 궁금해지기 시작했다.

팬데믹 초기에는 정치 사회적 궁금증을 SNS로 확인해야 하는 핑계로 심심해할

만한 시간적 여유가 없었다고 하는 이가 제법 있었다. 그러나 요즘은 모든 상황이 너무 길어지다 보니까 심신이 지쳐가고 있는 것 같다.

북으로 북으로 치달고 있는 미친 정권도 그렇고, 다시 2차 유행이 시작되는 것 아니냐고 떠들어대는 팬데믹 상황도 그렇고, 변변한 보수 야당이 없는 우리네 정치판 실정도 그렇고, 제대로 이유 한번 따져보지 못하고 집에 처박혀 있어야 하는 우리 신세도 말씀이 아니다.

오늘 백화점에서 점심을 먹었는데 차를 타고 들어갈 때 열 체크하고, 다닥다닥 붙어 있는 가게마다 방문자를 기록한다. 무슨 논리인지 빵집에서는 빵과 물은 좌석에서 먹을 수 있지만, 옆집에서 가지고 온 커피는 마실 수 없다. 소위 독립 점포의 경우 take out 규칙을 제대로 지켜야 하니 어이없는 현상이 벌어지고 있다.

나는 지금 동네의 체인점이 아닌 제법 큰 커피숍에서 커피를 마시고 있다. 근처에 있는 여기보다 작은 체인점 커피숍은 앉는 자리를 전부 폐쇄한 상태인데 말이다. 체인점은 대형 점포로 취급받기 때문이다. 그들이 불이익을 받는다는 것은 당국으로서는 (규제의 변명으로) 영세업자

보호라고 당당할 수 있다는 어설픈 표(票)
얻기의 변형적 발상이라고 생각한다.

결론은 어찌 되었든지 자기 스스로
건강을 지키고 이 난국을 이겨내야 한다.
감기라도 걸리며 당사자는 물론 주위
사람들도 경계하기 마련이다. 혹시
코로나가 아닐까, 생각해서 보건소와
병원에 전화하면 서로 미루기 일쑤이다.
대처가 원만하지 않으니 반기는 곳이 없는
것이다. 이 엄중한 터널을 벗어나기까지
자중자애(自重自愛)의 시기이다.

팬데믹 소통 예절

covid-19로 세상 문이 닫혀 있는 환경이기에 친구들의 안부가 너무나도 궁금하다. 무소식이 희소식이라고는 하지만 그것은 옛날처럼 편지를 보내기도, 사람을 보내 전갈할 수도 없는 세상일 때의 이야기가 아닌가! 그 당시에는 오히려 소식을 접하면 큰일이 난 것은 아닐지 걱정이 앞서는 시절이었을 거다.

나는 카카오톡을 매일 접하면서 언제부터인가 오래간만에 소식 없던 친구가 간단한 이모티콘이라도 올리면 "그 친구 잘 있구나" 하며 안도한다. 물론 카톡은 읽고 있지만, 회신이나, 화답하지 않는 경우가 많다. (나도 어떤 카톡 방에서는 그런 사람 중의 한 명이지만….)

그래도 어쩌다 한 번쯤은 "추임새"를 넣어주는 것이 필요하다고 생각한다. 국악을 들으면 여러 추임새를 들을 수가 있다. 노래하거나 춤을 추는 사람에게 "잘하고 있다", "잘 듣고 있다", "신난다"라며 함께 하고 있다는, 장단을 맞추고 있다는 신호이다.

요즘처럼 소식을 전하는 방법이 차고

넘치는 시대에는 최소한의 자기표현 방법이
중요하다고 생각한다. 침묵하면 좋았던
것은 얼굴을 보며 소통하는 시대에 맞는
금언(金 言)이라고 생각한다. 전화가
아니더라도 나를 표현하는 방법은 얼마든지
있으니 이런저런 방법을 가끔이라도 활용해
보는 것은 어떨지!

나이가 들면 고집도 세어지는 것이
사실인 듯, 자기는 아니라고 하지만 각자
나름의 고집이 있다. 좋게 말하면 자기
신념이고 믿음이다. 본인의 지식과 경험에
비추어 틀림이 없다는 소신이다. 내가 하면
로맨스이고, 남이 하면 불륜이라고 했던가!
이제 보편성에 맞추어 살아가는 방법을
배워 신인류가 되어야겠다.

일반적으로 친구 또는 모임의 구성원들이
대화방을 만들어 소통하게 마련이다.
그중에는 매일 몇 편이나 글을 올리는
사람도 있고 한 번도 자신의 의견을
표현하지 않고 받아 읽기만 하는 친구도
있다.

친구 중에 새벽부터 서너너덧이나 글을
올리는 친구도 있다. 새벽에 문자 도착
알림 소리가 거슬릴 때가 있다. 다른
친구가 기왕이면 새벽잠 깨우지 말고 낮에
보내라고 하여 시비가 붙은 적이 있다.

보낸 친구는 알림 소리를 제거하는 방법이 있는데 무식하게 자기에게 이래라저래라 명령한다고 화를 낸다. 결국에 알림 소리 시끄럽다고 한 친구는 탈퇴했다.

어떤 친구는 자기의 글은 사전을 찾으며 오자(誤字) 하나 없이 정성을 들여 쓴다고 한다. 그렇게 쓴 글에 대하여 성의 있는 회신은커녕, 회신 같지 않은 남의 글만 옮겨준다고 기분이 언짢다고 한다. 이런 시비가 붙으면 한 사람은 틀어져 나가기 마련이다.

좋은 글을 옮겨도 탈이 날 경우가 있다. 내가 좋다고 생각한 글의 내용이 받는 사람은 자기를 가르치려는 속셈으로 보낸 것이 아닐까, 의심하면 기분이 상하게 마련이다. 평상시에 자기 비하 늪에 빠져 있는 사람, 아니면 속 좁은 사람들이 남의 이야기를 불편하게 비틀어 들으면 기분 좋은 소통은 되지 못한다.

친구가 전하는 명언을 한 구절 소개한다. "정을 주려고 해도 너무 예민하게 토라지는 친구도 있고, 마음은 우정이 넘치나 전할 줄 모르는 경우도 자주 있다."

정치,
팬데믹을 인질 잡다?

유튜브는 끝까지 보지 않더라도 covid-19 치료에 도움이 될 수 있다는 하이드록시크로로퀸 Hydroxychloroquine[12]이 약효가 있다는 얘기는 들어본 적 있다. 그러나 잘 아는 바와 같이 집권하고 있는 정당과 정부 측은 팬데믹의 피해가 최소화로 단시일 내 소멸되기를 바랄 것이다. 그러나 집권 여당이 팬데믹 방어에 실수라도 하기를 바라는 정적(政敵)이 있다는 것도 일반적 상식이다.

국민을 생각한다면 집권당이든 야당이든 관계없이 팬데믹이 조기에 성공적으로 마무리되기를 바라야 한다는 것이 평범한 우리들의 생각이다. 그러나 무엇이든 정치에 이용하려는 정치꾼들의 사고방식은 너무나도 다른 것이 그들의 상식이다. 정부에 도움 될만한 것은 사사건건 우선 반대하고 보는 것은 아닐까?

한국에서는 일선의 의사들이 이 약의

---

12) 플라케닐(Plaquenil)이라는 상품명으로 팔리는 말라리아의 예방, 치료약이다. 류머티스 관절염, 루푸스 및 만발성 피부 포르피린증 등의 치료에도 사용된다. covid-19에 대한 실험적 치료제로 연구되고 있다.

효과가 좋다는 임상 실험결과를 국회의사당 앞에서 기자 회견을 하여도 주류 언론 매체가 게재하여 주지 않았다. 사실 여부는 모르겠지만, 정부에 불편한 정보이기 때문에 차단당하고 있다고 오해한다. 한편, 미국에서는 의사들의 항의에 밀려 FDA가 공식 발표 형식이 아니지만, 의사의 처방이 있는 약이라면 사용할 수 있다고 발표했다. 그러나 그 사실을 보도하지 않고 있어 많은 사람이 모르고 있는 것 또한 아픈 미국의 현실이다.

주지하는 바와 같이, 미국 주류 언론의 보도를 신봉하는 한국의 언론 또한 현 정권의 입맛에 맞게 보도한다. 그런 현실 때문에 한국 대부분 의사나 국민도 그런 약(藥) 자체를 모르거나 설사 알더라도 약효가 없다는 미국 언론의 보도 그대로 믿고 뜬구름 같은 소리로 치부한다. 이러한 상황에서 속수무책으로 겁먹고 떨고만 있는 것은 누구인가?

사람이 수없이 죽어가는 무서운 전염병이라고 한다면 오줌이라도 약이 된다고 하면 써봐야 하거늘 우리는 아무것도 하지 않고 2주간 격리를 하는 것을 처방으로 생각하고 신봉하고 있다. 중국의 뉴스를 보면 아파트 전체를 혹은 도시 전체를 봉쇄하여 전염을 막는 임시방편이 최고의 방법인 양 대처하고 있는 행태를 우리나라도 따라만 하지 않을까 우려된다.

어느 한 코미디언이 말기 암을 이겨내기 위하여 애완견용 구충제까지 먹으며 마지막 끈을 놓지 않고 치열하게 싸우고 있다는 기사를 본 적 있다. 그런데 만일 의료 당국에서 동물용 의약품을 인간에게 복용하게 하면 안 된다는 인류애를 내세워 복용 못하게 한다면 당사자의 마음은 어떠했을까, 요즘 코로나 처방약 복용에 대한 설왕설래를 보며 생각을 해 본다.

팬데믹 선언 전후하여 처방 약이나 백신을 만들기 전에 기존 약 중에서 효과가 있는 여러 후보군(群)이 거론되었다. 그러나 그때마다 약효가 있을 뿐 아니라 부작용도 없는 저렴한 약이라는 일부 의사들의 주장을 의료 당국은 묵살하고 그 사용을 거부하였다. 미국 따라 하기인 우리나라도 마찬가지 결론을 내놓고 의사에게 처방을 요구해도 가짜뉴스라고 하면서 처방을 해주지 않는다.

신약이나 백신 개발이 시간을 요하는 어려운 작업이라고 하는 것은 잘 알고 있다. 그러나 거리에서 사람들이 죽어

넘어가고 있지만 공인된 신약이 나오기만을 기다리는 실정이다. 그렇다면 정상적인 상황이 아닌 지금, 공식 처방이 나오기 전까지 대체 처방도 써보지 못하고 죽음을 기다리는 환자는 별수(別數)가 없는 것인가?

오히려 팬데믹 현상을 보면서 이런 전인류적 최악의 현상을 정치적으로 이용하는 정치꾼들이 있는가 하는 의구심마저 든다. 치유에 도움이 되고 더구나 복용 후 인체에 부작용 문제가 없는 약이 있다고 한다. 그래도 임상적으로 확인된 약이 아니라고 복용 못하게 하는 이유는 납득되지 않는다. 질병에 대한 최적의 약 처방을 위해서 의사를 찾는 것은 당연하지만 해당 질병에 대하여 의사가 처방할 현존하는 적절한 약이 없을 때 차선의 약을 처방하여 줄 수 있는 것도 의사의 권한이며 의무이기도 하다. 그것을 공권력으로 막고 나서는 것은 생존권의 문제가 아닌가?

만일 권력과 제약회사가 하나가 되어 약을 팔기로 한다면 이는 팬데믹 보다 더 큰 재앙이 될 수 있다. 이런 짓은 또 다른 의미의 살인 행위가 아닌가! 전 세계 바이오, 글로벌 제약회사는 COVID-19

같은 전인류의 생명이 걸린 팬데믹을 좌지우지할 만한 힘을 가지고 있다. COVID-19 백신의 경우 부작용에 대한 의견이나 항의조차 할 수 없다는 조건으로 백신 구매를 위하여 줄을 설 수밖에 없을 정도였으니 말이다.

팬데믹처럼 절체절명(絕體絕命)의 위기 상황이 아니라고 하더라도 제약회사는 보건기구 및 의사와의 긴밀한 관계를 유지한다. 이처럼 제약회사는 평소에도 약(藥)의 구매력을 유지하기 위한 노력을 하고 있다는 것은 주지의 사실이다.

건강기능식품을 보더라고 광고에서 자기 제품의 성능이나 효과를 입증하기 위한 실험, 논문 등을 나열하여 완벽한 제품으로 포장하기 마련이다. 그러나 논문이나 실험 데이터가 일부는 사실일지 모르지만, 선전하는 내용 그대로 효과가 있을까? (물론 사람에 따라 효과가 다를 수 있다는 문구를 추가하여 책임을 회피하지만) 이런 광고는 해당 부문의 이름이 알려진 사람이 나설수록 광고효과가 크다. 그러면 우리는 광고를 믿고 그 제품을 기꺼이 살 것이다.

의료 연구는 건강한 불로장수(不老長壽)를 꿈꾸는 인류에게는 마지막 과제이며 최대의 이익 산업이기도 하다. 제약업계는 풍부한

자금력으로 로비와 각종 매체를 통하여 그들의 정당성을 지켜가고 있다. 우리는 최근의 팬데믹을 통하여 백신 제약회사에 대하여 불평불만을 제기할 수 없는 상황을 경험한 바 있다. 그들은 생명을 볼모로 무소불위(無所不爲)의 힘을 유지하고 이는 것은 아닐까?

최근에 중국 동북 지방에서 새로운 바이러스 감염병이 발생하여 전염되기 시작하였다고 한다. 우리나라는 COVID-19 초기에 중국에 대문을 활짝 열어주는 잘못된 대응으로 고생한 바 있다. 이제는 전염병에 대한 경각심을 갖고 예방에 최선을 다해야 하지만 어설프게 인도주의를 내세워 관광객을 무작정 받아들이는 것 또한 정치적 고려 사항이 되었다.

이제 COVID-19 팬데믹은 전염병이 아니고 정치병(政治病)이 된 지 오래다. 그렇다면 앞으로 닥쳐올 이름 모를 자연산(自然産) 또는 의도적(意圖的)인 팬데믹은 국제정치 판세를 읽어야 결판이 나지 않을까!!

잃으면 얻는 것도 있다

미국은 2021년 6월 들어서면서 팬데믹에서 점차적으로 자유스러워질 것이라는 기대감으로 부풀어 있다.

사사(私私)로운 예기이지만, 오늘 사위가 사무실로 첫 출근 하는 날이고, 손녀는 처음 야외에서 하는 스쿠터 캠프에 참여했다. 이런 일이 1년 반여 만에 일어난 일이므로 색다른 날이다.

팬데믹 이후로 미국의 많은 회사가 재택근무를 실시했고, 딸은 이번 학기가 끝나는 7월 중순까지는 온라인으로 수업하고 있다. 사위도 1년 넘게 집에서 근무했는데 드디어 사무실로 출근하게 된 것이다.

각급 학교는 단축 수업하다가 졸업식 없는 졸업을 했고, 손녀는 오늘 시(市)에서 운영하는 야외 캠프에 참석하게 된 것이다. 팬테믹의 불편 사항이 하나둘 풀려나가는 청신호가 아닌가 싶다.

재택근무는 21세기의 새로운 업무수행 변화의 화두이다. 팬데믹 이전에도 이런 근무 체계로 경영하는 실리콘밸리의 우수한

회사들이 국내에 소개되기도 했다.

그러나 한편으로는 회사의 핵심 사업을 차질 없이 추진하기 위해서 구성원의 구심력을 형성하고 협업 효율 제고를 위하여 역시 사무실에서 함께 근무하는 것이 더 효율적이라는 주장도 있어 평가가 서로 엇갈리고 있는 것 같다.

팬데믹으로 업종에 따라 피할 수 없이 재택근무를 하는 기업도 있고, 사회 분위기에 따라서 차제에 실험 삼아 재택근무를 실시해 본 기업도 많을 것이다. 앞으로는 기업마다 이런 경험을 바탕으로 각 기업에 맞는 근무 형태를 심도 있게 연구하는 계기가 되리라 생각된다.

일부 학계에서는 백신 접종이 빠르게 이뤄지며 일상이 회복되기 시작하자 기업들도 재택근무를 철회하고 소위, '출근주의'로 회귀하려는 것은 직장 상사들의 부하직원 관리 관행에서 기인되는 것이므로 개선되어야 한다는 목소리도 있다.

대학교의 강의 형태도 그간 어쩔 수 없이 수행했던 온라인 수업의 효율성 및 학업 성취도 정도를 어떻게 평가하는가에 따라 학교, 교수, 학생, 학부모 및 교육행정

당국의 입장이 갈릴 것으로 판단이 된다.

기존 시설의 활용 문제, 강의의 확장 및 이에 따른 학점제도의 전면적 검토 및 나아가 일부 교수의 반발 무마 등의 사소한 문제까지 검토되어야 할 사항이 많을 것이다.

교육, 훈련 중에는 듣는 것만으로도 충당할 수 있는 부문도 있다. 그러나 교수, 코치 또는 멘토와의 강력한 만남의 순간이 동기부여가 되어 자기의 재능을 발휘하게 됨을 부인할 수 없다. 이와 같이 실습과 훈련이 필요한 교육 훈련의 경우 일률적으로 온라인 교육으로 대체할 수는 없을 것이기 때문이다.

기업에 있어서 간과해서는 아니 되는 근원적인 경험치가 많이 있다. 예를 들면, 얼굴을 맞대고 대화하면서 감정이 전달되고 친밀도가 깊어지는 과정 속에서 상대를 파악할 수 있다. 따라서 업종의 형태, 직원과의 협업 관계의 긴밀도 등에 따라 심도 있는 훈련 및 평가 방법이 요구된다고 하겠다.

기업은 정기적으로 인사고과로 직원들의 근무태도나 업무성과에 대하여 공정한 평가를 한다. 이러한 평가 방법이 생산직일 경우에는 양적(量的)으로 평가가

용이(容易)하지만,　　　사무직을　　　경우에는
평가하는 사람과 평가를 받는 직원 모두가
승복할 만한 평가 방법이 없는 현실이다.
이러한 시대적 배경 때문에라도 IT 및 AI
시대를 맞이하여 사무직에 대한 합리적인
평가 방법 수립이 우선되어야 할 것이다.

일상의 자유를 그리며

사람이란 못하게 하면 더 하고 싶고, 가리면 더 보고 싶은 것이 본능이라고 생각한다. COVID-19가 창궐하기 전에는 보고 싶고, 가고 싶은 곳을 외부요인 때문에 삼가는 일은 없었다.

지금 팬데믹 때문에 바깥출입을 자제 당하고 있는 때이어서 아무 생각 없이 하던 일상이 더욱 그리워진다. 마치 몸의 어딘가를 묶여 자유를 상실한 느낌이다.

변함없이 출퇴근하며 일은 하지만 이런 틀을 벗어나 어디를 가거나, 사람을 만나는 것은 일단 고려해 보는 새로운 습관이 생겼다. 기존의 약속도 미루어야 당연히 할 배려를 하는 것 같은 느낌이다. 그러니 새로운 만남은 당연히 없다.

이런 기간이 길어지면 정치, 경제, 사회적으로 많은 변화를 초래하리라는 지적보다도 이런 상황을 견뎌내는 인내의 한계가 언제일까 하는 인간적인 생각을 해 본다.

세상만사가 혼돈 그 자체이다. 요즘 팬데믹 처방에 대하여도 정치가 개입되면서 혼란을 거듭하고 있다. 자기편에 (수익면에서 인지는 가늠할 수 없지만) 유리하고, (자기 편의) 힘이 있다면 그쪽의 주장이 진리이고 마땅한 처사인 것으로 매듭지어지겠지 하는 추측이 무성하다.

우리나라뿐만이 아니고 세계적으로 의료적 측면에서의 판단이기에 앞서서 권력과 금력에 의한 결정일 것이라는 일반 대중의 의혹이 많다는 것이 씁쓸하다.

정보가 넘치는 사회에서 마땅한 정보를 몰라서 고통을 겪는 사람이 많아질 것이라는 예측도 어렵지 않다. 기다리면 어느 쪽이든 결론이 나겠지만 너무 늦지 않기를 바랄 뿐이다. 그때까지는 현명하게 대처하며 건강하게 버텨내야 한다.

이제 맞춤 정보를 제공해 주는 것도 또 하나의 새로운 직업으로 탄생 되지 않을까, 기대해 보지만 어려울 것 같은 생각이 든다. 세계적인 기업은 재력(財力)으로 정치인을 자기편으로 만들어 기업의 입장을 옹호하는 세력으로 키우기 때문이다.

AI도 교육하는 사람(또는 학습자료)에 따라 편향적인 지식을 갖게 되니 그의 답변은 묻지 않아도 알 수 있지 않은가! 독도(獨島)는 일본 땅이라고 학습 받은

AI에게 독도는 어느 나라 땅이야고 묻는 것과 같은 결론이다.

나는 요즘 뉴스를 접하면서 미국의 어느 당(黨)을 지지하는 매체인지를 알아보는 습관이 생겼다. 이제는 뉴스도 색안경을 끼고 판단해야 할 시기가 된 것이다.

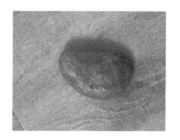

억제된 만남

어제는 친구가 카카오톡에 자기 사진을 보내왔다. 그리고 한참 후에 내 사진을 보내달란다. 어떤 모습인지 보고 싶다고 한다. 생각해 보니 코로나로 인한 1년여 말고도 족히 4~5년은 만나지 못한 것 같다. 아니 그보다 더 길 수도 있다.

가까이 있어도 정기적인 모임이 없으면 잊고 살기 일쑤인데 그 친구는 분당에 살고 있으니 특별한 용무가 아니면 단체로 카카오톡이나 메일을 주고받으며 늘 만나고 있다고 착각을 하며 살고 있다.

최근에 사진 찍을 일이 없었던지라 작년에 미국 딸래미가 근무하는 대학에 놀러 가서 찍은 사진을 보냈다. 나의 모습이 하나도 변하지 않았단다. 내 말이 그 말이다.

그 친구 사진 역시 옛 모습 그대로다. 주위의 친숙한 이들이 옛 모습 그대로 변함이 없는 듯하다. 같은 속도로 달리고 있는 열차에서 상대방을 보고 있노라면 마치 움직이지 않고 있는 것처럼 보인다.

같은 속도로 세월을 달리고 있는 우리다.

그래서 우리는 시간 열차에 타고 달리기 시작한 때로 돌아가 서로가 젊다고 생각하며 사는가 보다. 일종의 상대성 원리이다. 어찌 보면 다행인지도 모르겠다.

사는 날까지 그런 착각 속에서 즐겁게 사는 거다. 오늘도 팬데믹이 만들어 낸 억제된 만남이 집안에 들어앉아 있는 늙은이들이 상상의 나래를 펴게 한다.

미국에서 오래간만에 귀국한 친구가 내일 출국한다고 연락이 왔다. 입국하면 2주 동안 자택 격리 기간이 끝나기만을 기다리고 있었는데 말이다. 느린 듯 이토록 빨리 가는 세월 흐름에 격리 기간도 잊은 채 지나쳤으니 어찌하면 좋을꼬!

마침 어제부터 카페, 식당에서조차 앉아 있을 수가 없다고 하니 급하게 어디서 얼굴이라도 보고 헤어질 수도 없는 기막힌 현실이 아니던가!

친구여! 미안하오. 잘 가시오.
이 못난이의 몹쓸 기억력이 문제이니,
COVID-19나 탓해 주시오.
그러다 보면 만날 날 있겠지요.
이 억제된 만남이 원망스럽소.

감사함으로 두려움에 맞서기

요즘은 어디서든 정보를 얻을 수가 있으니 염려증이 늘어나고 있다. 오늘 만나서 점심 식사를 같이하기로 한 친구는 어제부터 걱정이다. 내일 비가 온다는 일기예보를 본 것이다. 그래서 결국 점심 약속은 취소가 되었다.

골프 약속은 말할 것도 없지만 일반적으로 태풍도 아닌 비가 올 거라는 예보를 보고 약속을 취소하는 경우는 소싯(少時)적에는 흔치 않은 일이다. 나이 먹어 건강에 대한 배려가 지나친 건 아닌지 모르겠다.

자신의 건강 문제에 대해서는 추호도 양보할 수 없는 인생 역군들이다 보니 따져보고, 의심하고, 또 확인해도 믿음이 안 간다. 더구나 시간마저 여유가 있으니 더욱 확실하게 챙긴다. 의학은 나날이 눈부시게 발전을 거듭하고 있다.

그러나 의사가 고칠 수 없는 질병은 아직도 부지기수다. 또 노화에 따라 하나둘 늘어나는 사소한 고장까지 신경이 쓰이는 질병이 늘어나기 마련이다. 무조건 방치(放置)하는 것도 문제지만 병원이나 의사를 신뢰하지 못하고 여기저기 병원을 찾아다니는 것 Hospital Shopping도 마음의 병을 키우는 것은 아닐까?

두려움 속에서 사는 우리는 두려움만 볼 뿐이다. 보도 매체(媒體)의 재원(財源)은 두려움이 아닐까, 생각할 정도다. 매체들은 앞다투어 무섭고, 끔찍한 사건, 사고를 보도한다. 그래야 인기 있는 기사가 되고 광고가 붙는다고 한다. 텔레비전, 신문, 유튜브는 깜짝 놀랄만한 제목으로 이목을 끈다.

또한, 우리는 어린 시절 부모로부터 이런저런 '조심'하라는 얘기를 들으며 자랐다. 지금 어른이 되었어도 부인으로부터, 또는 부모로부터 출근할 때, 출장 갈 때 또는 여행을 떠날 때, 우리는 '조심하라'는 말을 '잘 다녀 오라'는 말 대신 습관적으로 사용한다.

사실 우리가 두려워하는 것과 우리에게 일어나는 일은 큰 관계가 없다. 현실에서 우리가 이용하는 교통수단, 먹는 음식은 대부분 안전하다. 긴 여행이라도 즐겁게 휴가를 보내고 돌아올 수 있다.

그럼에도 불구하고, 여전히 두려움이 우리의 삶을 지배한다. 이는 일상의 뉴스는 어쩌다 일어나는 사고만을 보도하고 있기 때문은 아닐까?. 거의 매일 접하는 '주의', '조심'에 젖어 있는 것은 아닐까?

사람의 병은 대부분 '스트레스'에서 온다. 스트레스의 원인은 주로 부정적인 생각, 두려움에서 비롯된다. 미국 듀크 대학병원의 해롤드 쾨니히와 데이비드 라슨 두 의사가 실험한 결과에 의하면, 매일 감사(感謝)하며 사는 사람은 그렇지 않은 사람보다 더 오래 산다는 사실을 밝혀냈다.

'감사하는 마음'은 염려와 두려움에서 오는 스트레스와 병을 이길 수 있다. 감사는 혈압도 떨어트리고 소화작용도 촉진시킨다. 감사는 '만병통치약'이란다.

우리가 사는 삶이 얼마나 위태로운지 알고 나면 비로소 감사하는 마음을 가질 수 있게 된다. 건강검진을 받고 마음졸이며 결과를 기다린 적이 있는가? 결과가 모두 정상이라고 하면 얼마나 행복하던가!

교통사고 현장에 있었는데 큰 부상을 면했다든지, 위태로운 상황에서 최악의 상황을 모면했을 때 우리는 '다행이다', '감사하다'고 느낀다.

그 감사하는 마음이 내 삶에 무한한 의미와 힘을 불어넣어 준다. 감사할 줄 아는 사람은 감사하는 마음에서 힘이 생기기 때문에 강한 사람이 된다. 모든 여유로움은 우리가 가진 것에 감사하는 마음으로부터 나온다. 존 헨리 박사도 "감사는 최고의 항암제"라고 했다.

일상의 문제는 생활에 배어 있어서 고치기 어려울 수도 있겠지만, 질병의 경우는 객관성을 높이는 방법을 택하면 좋을 듯하다. 언론 매체에서 밝은 소식, 귀감(龜鑑)이 될만한 소식을 많이 보도해서 일상에서의 어두운 면을 해소하는 도움을 주면 좋겠다.

건강,
늦은 때는 없다

열이 나가나, 땀나고 붓거나 하는 현상은 우리 몸 스스로가 치유하려고 애쓰고 있다는 증거이다. 병의 원인이 외상이라든지 세균의 공격을 받았을 때, 도려내거나 세균을 박멸할 수 있는 신통한 약을 써야겠지요. 그러나 요즘은 원인이 밝혀지지 않은 병이 많다.

전에는 그 원인의 주범이 대부분 스트레스인 경우가 많았다. 그러나 최근에는 호르몬 밸런스에 문제가 생겼다고 하는 처방이 많아지고 있는 듯하다. 이러한 해석은 문외한의 어설픈 위험한 결론이겠지만, 원인을 잘 모르겠다는 의사의 고상한 고백일 것 같다.

이는 과학이 인체 우주를 아직 정복하지 못한 증거다. 이런 와중에 내가 만일 당사자라면 어처구니없는 상황에 당면할 수도 있다. 이 경우, 원인과 치료 방법을 찾아 결국 병원 쇼핑에 나설 수밖에 없다. 희망 여행을 떠나는 것 외에 달리 선택이 없어서이다.

　몸 속 에 서　　일 어 나 고　　있 는　　이 상　　현 상,
그 것 도　　　타 인 의　　　몸 속　　　일 을,　　의 사 의
할 아 버 지 라 고　하 더 라 도　그　증 상 이 나　아 픔 의
원 인 을　어 찌　전 부　알　수　있 겠 나!

　환 자 로 서 는　　그 게　　　억 울 하 고　　답 답 하 다.
의 사 는　설 명 이　잘　안 되 고,　환 자 도　　이 해 가
힘 들 다.　　의 사 들 이　　교 과 서 에 서　　배 웠 거 나
환 자　진 료　임 상　경 험 으 로　누 적 된　지 식 이
아 니 면　그 럴　수 밖 에　없 지　않 겠 나?

　내 가　겪 은　간 단 한　예 를　들 면,　등 뼈　있 는
곳 이　아 픈 데　무 슨　이 유 일 까　싶 어　병 원 에
가 면　증 상 을　물 어 보 는 데　"너 무　가 려 워 서
아 픈　것　같 은　느 낌"이 라 고　하 면　나 는　내
경 험 에 서　나 오 는　가 장　비 슷 한　표 현 을　하 고
있 지 만,　의 사 는　바 로　인 지 할　수 가　있 을 까?
본 인 이　직 접　겪 은　경 험　없 이　알　수 는　없 을
것 이 다.

　자 신 의　　아 픈　증 상 을　표 현 하 는　것 조 차 도
어 려 운 데,　　상 대 방 이　　납 득 하 는　　것 은　더 욱
힘 든　것 이　현 실 이 다.　더 구 나　아 픈　그 곳 이
몸　　속 이 고,　마 음 이 라 면　　어 찌　표 현 하 고
어 떻 게　납 득 할　수　있 을 까,　지 레　걱 정 이
된 다.

　그 렇 듯 이　　나 도,　누 구 도　알　수　없 는
육 신 의　병 이　하 나,　둘 이　아 니 다.　때 로 는　나
자 신 이　표 현 하 기 도　어 려 운　상 황 을　의 사 도

아닌 남이 알아주기는 쉽지 않겠다. 가까운 가족이 몰라주더라도 섭섭해하지 말자. 그런 생각을 하면 또 새로운 마음의 병이 생기는 것이다. 병이란 조급하면 지는 것이다.

나도 한참 나이에 목 때문에 병원을 들락거렸다. 어느 날 서울대병원 이비인후과 교수가 약으로는 치료되지 않으니 공기 좋은 시골에 가서 2~3개월 살아 보는 것이 좋겠다고 한다. 그래도 좋아지지 않으면 다시 찾아오라는 얘기를 듣고 그 이후로 병원 출입을 포기했다.

그렇지만 바쁘다는 핑계로 공기 좋은 시골 체험을 잊은 채, 지금도 박하향(薄荷香) 등 여러 종류의 목사탕을 달고 살며 기관지 걱정을 하고 산다. 그만그만 견딜 만하니까, 미래의 걱정을 묶어 놓고 안일하게 현실을 살고 있다.

"있을 때 잘 하라"는 말이 있듯이 사람은 있을 때 고마운 줄 모르고, 아프지 않으면 아플 때의 고통을 잊고 살기 마련이다. 평소에 우리 몸이 보내주는 신호를 무시하고 살면서 자각 증세가 나타나기 시작하면 좋은 음식, 영양제, 병원 신세로 모든 것이 좋아지리라 생각하는 것이 우리의 일상이다. 평안한 일상에 오만해진 우리를 보여주고 있다.

우리는 언제나 나이 먹지 않고 머물러 있는 불사조 같은 존재였는데 병에 걸리면 이 탓, 저 탓을 찾고 불만을 토로하지만 결국은 내 탓이고 현재의 의학으로는 어쩔 수 없이 하늘의 섭리를 따를 수밖에 없을 때, 결국 우리는 정말 인간으로 돌아가는 것이 아닐까, 생각한다.

아무리 가진 것이 많더라도 건강이 없으면 아무것도 소용이 없듯이 현실로 돌아오면 세상이 달리 보이게 된다. 의사가 모든 병을 고칠 수 있다면 인간의 교만을 어떻게 감당할 것인가? 인간은 점점 과학의 힘으로 교만해지고 있지만 결국 신(神)의 경지를 넘지 못할 것이다.

그렇다면 해결 안 되는 모든 것을 동반자로 인정하고 끝까지 함께하는 것이 맞으리라 생각한다. 이제부터라도 정신을 다잡아 내 생각대로가 아니고 몸이 주는 신호에 순종하자.

지나간 날들을 돌이켜보면 몸이 주는 신호를 알아차렸다. 그렇지만 바쁘다는 이유로, 외국에 체류 중이기에, 때로는 무식하게 참고 견디며 중대한 증상을 견디면서 병원에 안 갈 정도면 다행으로 지금까지 버티며 살아왔다. '늦은 때'는 없다고 했던가! 지금부터라도 각성하여 드러눕기 전에 내 몸의 아우성에 상응하는 처신을 해야겠다.

자신 있는 척하기

　장수하는 추세에 따라 자식의 나이가 7.
80대가 되어도 부모가 생존해 있는 경우가
많아 노약한 부모를 나이 든 자식이
부양하기에 버거운 현실을 주변에서 종종
목격한다. 그래서 역발상으로 자식을 늦게
두어 부모와 자식 간(間)의 나이 차이가 큰
것이 오히려 나은 현상일까를 생각해
본다.

　꼿꼿이 서서 다닐 수 있는 건강을
유지하는 노인이라면 나이가 무슨 상관이
있겠나? 나이 먹는 것을 겁먹는 것은
죽음이 가까워진다는 두려움과 죽음을
앞두고 자식들에게 폐를 끼칠까, 걱정이
되는 것이다.

　그러니 언젠가는 저세상으로 돌아간다는
것을 기정(旣定) 사실화한다면 정신적인
두려움은 조금은 완화될지도 모르겠다.
나만의 일이 아니니까! 나머지 일은
나에게도 의지력으로 개선할 소지가 있는
문제이니 최선을 다해 보는 수밖에.
현실적으로는 금전적으로 자식들에게 손을
벌리지 않도록 준비하는 것과 나아가 죽는
날까지 건강을 유지할 수 있도록 스스로

노력해야겠다.

애들 잘 커서 시집, 장가보냈으니 부모 할 일은 다 했고, 이제 마지막 여정을 성실하게 다져봐야겠다. 그것은 오로지 옆지기와 둘이, 또는 혼자서 감당해야 할 일이다. 식사양(食事量)도 줄이고, 걷기 등 운동도 열심히 하려고 하고, 몸에 좋은 영양제도 챙겨 먹고, 건강에 관심이 많아졌다. 그렇지만 배는 나오고, 허벅지 살은 빠지고, 피부 트러블도 많아지고, 눈과 귀도 예전같이 또렷하지 못하다.

뭐든 준비는 좋지만, 소심해질 필요는 없지 않을까 생각해 본다. 삶이 있으면 그 끝도 있는 법, 다만 운명적 결론은 알고 있다. 다만, 창조주께서 일정을 알려 주지 않으니, 그때까지 소임을 다 할밖에 도리가 없지 않은가!

'사람이 만일 온 천하를 얻고도 자기 목숨을 잃으면 무엇이 유익하리오'. (마가복음 8:36) 우리는 얼마나 시간 활용을 잘하고 있나요? 가장 중요하고 소중한 것에 우선순위를 두고 있나요? 스티븐 코비[13]는 "중요한 건 일정표에 적힌

---

[13] Stephen R. Covey (1932.10.24 - 2012.7.16) 미국의 작가, 전문 연설가, 교수, 컨설턴트, 경영 전문가. 주요저서; 성공하는 사람들의 7가지 습관

우선순위가 아니라 당신 인생의 우선순위를 정하는 것이다."라고 말했다. 우리는 나름대로 열심히 그리고 바쁘게 살아간다. 그러나 바쁘다는 핑계로 해야 할 의무나 책임을 게을리하면 문제가 된다. 만일 그렇다면 자신을 위한 시간을 내지 못하는 타임푸어 Time Poor이다.

그렇지만, 자신 있는 척, 건강한 척, 아직 까지는 태연하게 다닌다. 어쩌겠나? 누가 도와주어서 될 일도 아니니 '척'하면서 스스로 노력하며, 바로잡아 가야겠다. 마치 오리가 열심히 발을 놀려 물 위에 떠 있듯이 말이다.

최후의 우리 목표가 비록 성공을 못하더라도....

밖에 비 오는데

밖에 나다니는 것이 능사는 아니지만, 비가 오면 어쩐지 집에 갇혀 있어야 할 것 같은 기분이다. 오늘 그대도 혹시 그런 기분으로 창밖의 비를 감상하고 있지나 않을까?

날씨가 화창하더라도 몸이 좀 무거워 왠지 움직이고 싶지 않은 때도 있지만, 비가 온다든지 하면 좋은 핑계 삼아 집에 붙어 있기 일쑤이다. 오늘이 마치 그런 날이지 싶다.

사실 기분상의 문제가 아니더라도 건강 문제로 문밖출입을 자유롭게 하지 못한다는 가정을 해보면 아찔해지곤 한다. 산책하다 보면 나이 때문이 아니더라도 휠체어를 타거나, 또는 혼자 힘겹게 걷는 사람들을 만나곤 한다. 자연을 더 가까이서 만끽하고 싶어서 나온 사람도 있을 테고 건강 악화를 방지하기 위한 재활 목적으로 최선을 다해 열심히 걷고 있는 사람도 있을 거다.

남의 불행을 보며 나를 비교한다는 것은 좀 찜찜하지만, 그러한 사람을 떠올리면 지금의 "나"는 너무나 행복한 사람이 아닐까. 날이 가고 해가 바뀌면 건강이 더 좋아질 수 있다는 확률이 점점 적어지는 우리 또래는 오늘 당장 즐거운 마음으로 걷기에 힘써야 할 것 같다.

이곳 공원에는 조깅을 하는 사람이 많이 눈에 띄는데 대부분 젊은이다. 나는 저 때 앞날을 생각하며 저렇게 열심히 운동하며 건강을 준비하여야 한다는 생각조차 하지 못했다. 그럼에도 불구하고, 이 정도이니 천만다행으로 생각하고 본격적 운동까지는 아니더라도 이제부터 열심히 움직이기라도 해서 하늘의 보살핌에 보답하기로 다짐해 본다.

오늘은 비 오니까 창가에 앉아 커피라도 한잔하면서 그리운 자식들에게 편지라도 써보면 어떨까!

그렇다고 하더라도 내가 너희처럼 젊은 시절에 운동을 열심히 하지 않은 것이 후회되니, 너희들은 건강을 위해서 오늘부터라도 '운동을 게을리하지 마라'는 등(等), "라떼 (나 때)는 말야" 하며 잔소리는 하지 않는 것이 좋겠지!

한강 다리 위의 카페

한강에는 다리가 30개나 된다. 한강의 다리는 자동차 전용도로인 청담대교를 제외하고 대부분 다리에 자전거와 사람이 다니는 인도(人道)는 물론, 엘리베이터 등 한강 다리를 자동차 없이 이용할 수 있는 편의시설이 잘 마련되어 있다.

특히 한강 다리에는 야경을 감상할 수 있는 유명한 카페가 여러 곳에 있다. 야경뿐만 아니고 한낮에도 한강을 한눈에 바라보면서 마시는 커피 한 잔은 힐링 그 자체이다.

커피 외에도 편의점에서 간단한 요기를 할 수도 있고 도서관이나 쉼터 등의 편의시설도 갖추고 있어 한강 다리의 휴게소 역할을 톡톡히 해내고 있다.

한강 다리 카페 1호는 한남대교 전망 카페이다. 그리고, 우리 동네, 지하철 동작역에 인접해 있고, 구반포 지역 한강공원 통로에 있는 다리가 동작대교이다. 남단 양쪽에 공항 관제탑을 연상케 하는 한강을 관망하기 딱 좋은 외관을 하고 있다.

동작대교 남단 동쪽에는 구름카페, 서쪽에는 노을카페가 있다. 내부에는 이마트가 있어서 주전부리도 살 수 있고, 스무디킹 등과 협업으로 각종 커피는 물론이고 다수의 도서도 비치하여 무료로 제공하고 있다.

자리는 둥그렇게 창문을 따라 배치되어 있어서 나름 조망대의 역할을 할 수 있도록 설계되었다. 층층이 올라가며 다양한 공간을 즐길 수 있고, 마지막 계단은 옥상 테라스로 연결되어 있다.

서쪽 노을카페에서는 여의도 방향으로 오가는 차량도 보이고 국립현충원이 건너다보인다. 동쪽 구름카페로는 종합운동장 방향으로 한남동, 광나루 일대가 코앞에 있는 듯하다.

한강공원에는 자전거를 타는 사람, 히말리아 등반이라도 가는 사람처럼 완벽하게 운동복을 차려입고 본격적으로 매일 열심히 운동하는 사람들의 행렬이 늘어섰다. 반려견을 데리고 여유를 즐기며 산책을 하는 사람도 꽤 있다.

반포지역 한강공원은 요트장도 있고, 낚시터도 있고, 꽃동산도 꾸며 놓아 어느 계절이든 산책하기 좋은 곳이다. 곳곳에 운동기구도 설치되어 있어서 체력 단련에는 이만한 곳이 없어 보인다.

우리 집은 바로 지척이라 이곳을 앞마당처럼 이용할 수도 있겠지만 집사람은 이곳을 찾지 않는다. 단순하게 물을 무서워하기 때문이랄까? 그 외에는 다른 뜻은 없을 것이다. 그래서 강변에 세워진 이 카페를 같이 이용할 기회는 한 번도 없었다.

작년에 미국에 사는 딸 가족이 왔을 때이다. 한국에 자주 오지 못하는 사위랑 온 가족이 함께 카페에서 한강 변을 보면서 담소하고 싶었다. 집사람에게 커피라도 한잔하면서 낭만을 누려보자고 집사람에게 슬쩍 권유해 보았다. 멀지 않은 곳이니 가볍게 산책 삼아 공원에 가자고 해도, 카페에서 커피만 마시자고 해도, 극구 사양하던 사람이 아니던가!

아니나 다를까, 우리가 가지 못하게 여러 이유를 나열한다. 낮임에도 불구하고 최근 밤에 어떤 사고가 있었다는 얘기부터, 그래서 그런 곳은 위험하다는 나름의 이유를 늘어놓는다. 더구나 천하장사(天下壯士) 팬데믹 이유는 당할 재간이 없다. 애들이 가볼 만한 곳이 여기 말고도 많이 있으니 기분 좋게 져주고 포기했다.

오래간만에 미국에서 온 애들은 결국 다리 위에 세워진 서울 특유(?)의 카페에서 커피를 마실 기회를 버리고 떠났다. 다음에 오면 같이 가고 싶다는 생각을 버리지 못하고, 다른 한편으로는 오기(傲氣) 발동으로 답사를 겸해서 양쪽 카페에 가보았다. 커피를 마시며 이곳에 대한 나름의 사전(事前) 공부를 하고 있다.

어차피 올해는 팬데믹으로 낭패를 봤다. 얘들아, 다음에 오면 같이 가서 커피 한잔하면서 한강에서 감상하는 서울의 풍취를 공감해 보자꾸나!

떡 본 김에 굿하랴!

사회생활에서 습관이나 관행이 굳어져서 법의 효력을 갖게 된 것. 즉, 사회 질서와 선량한 풍속의 변하지 않는 관습이 단순한 예의적 또는 도덕적인 규범으로서 지켜질 뿐만 아니라, 사회의 법적 확신 내지는 법적 인식을 수반하여 법의 차원으로 굳어진 것을 습관법(習慣法)이라고 한다.

일상생활에서도 가정마다 또는 국가마다 상식으로 인식되는 관습이 있다. 우리는 이를 예의(禮儀), 도리(道理), 겸손 등 여러 용어로 부르고 있다.

윗사람과의 술자리에서 술을 마실 때는 머리를 돌려 마시는 모습을 감추듯 마신다든지, 이웃에게 그릇에 담긴 음식 선물을 받으면 그릇을 깨끗이 닦아 답례로 음식이나 간단한 선물을 담아 보내는 것이 이웃에 대한 '예의'이다.

부모에 대한 자식의 효행도 '도리'이고, 순국선열의 추모는 국민의 도리일 것이다. 제자로서, 후배로서, 아랫 사람으로서의 도리가 있고, 윗사람으로서 자식, 제자, 아랫사람에 대한 도리 또한 있을 것이다.

선물을 주거나 받을 때에는 마음이 담겨야 한다. 주는 사람은 약소(弱小)한 선물이라고 생각하고, 받는 사람은 자신에게 과대(過大)한 선물이라고 생각하는 '겸손'한 마음이 묻어나면 좋을 것이다.

설날에 윗사람이 주는 세뱃돈은 정해진 연례행사라서 그런지 몰라도 주는 대로 고맙게 받으면 된다. 그렇지만 일반적으로 감사, 축하, 등등 선물에는 적당한 사양(辭讓)이 필수적으로 따르기 마련이다.

준다고 덥석 받는 것도 보기 안 좋고, 만일 받지 않으려면 정중하게 받지 않아도 상대가 언짢지 않게 하는 언어의 기술이 필요하다.

식사에 초대받아 다른 사람들보다 비싼 음식을 주문하는 사람이 간혹 있다. 환영받지 못하는 '눈치 없는' 사람이다. 만일, 생일 선물을 사라고 카드를 주고 마음에 드는 물건을 사서 가지라고 하면 얼마 정도의 물건을 사야할까?

터무니없는 비싼 물건을 산다면 겸손을 모르는 사람이 될 것이고, 그렇다고 너무 싼 물건을 사면 좀 아쉽기도 하기 때문이다. 그 '어느 정도'가 어렵고 사회 통념의 관습에 따라야 한다. 나의 잣대로 정하는 정도는 자칫 실수를 범하기 쉽다.

　　사회생활이　문물의　발전과　더불어　바뀌게
마련이니　우리네　관습도　많이　변했다.　물론
사람에　　따라서　　자기　　나름의　　신봉하는
관습과　　　기준이　　　있기　　　　마련이다.
생활공동체마다　나름의　관습이　있다.

　　우리　집은　우리　집의,　우리　회사는　우리
회사　　나름의,　　우리나라는　　우리나라의
전통이　　있다.　　나도　　나　나름의　　기준과
생각이　　있다.　　그렇지만,　　상대방이　　있는
일상에서　사람들과　더욱　슬기롭게　더불어
살기　위해서는　보통　사람들이　가지고　있는
상식적인　　관습에　　익숙해져야　　하는
이유이다.

이런 세류(世流)

요즘 우리는 경험해 보지 못한 세상에서 살고 있다.
세계 각처에서 믿지 못할 사건,
사고가 연일 터지고 있다.
주도세력의 마음에 맞지 않는 것은 보도되지도 않는다.
사실, 진실은 어디에서 확인할 수 있을까?

그것이 미국일지라도 말이다.

아직도 어떤 세상에서 살고 있는지 감 못 잡나?
주류 매스컴의 보도를 그대로 믿고 있나?
SNS에 실리는 것은 음모론이라고 생각하는 사람인가?
그런 사람도 이런 世流 파악하며 잘 살고 있으려나?

이제 그런 나이인가 보다

오늘도 이렇게 보내나?

또 한 주가 멀어져 가네요.
이러지도 저러지도 못해보고
속절없이 시간은 흘러갔네.

가냘픈 희망 한줄기,
그것은 언젠가 바람처럼 찾아올
마음의 자유 아닐까!

묶이지 않았지만 발목 잡힌 듯,
잡히지 않았지만 소매 끌린 듯,
하루 24 시간 모두 내 것이련만
누구에게 지시라도 기다리듯.
막연히 마냥 기다린다.

이 또한 지나가리라 생각하고
그냥 이대로 보내기는 아쉬운 하루

꼰대들 안녕하신가?

'창살 없는 감옥'이라는 노랫말처럼 그렇게 지낸 지 꽤나 되는 것 같다. 예전에 읽은 '개미 세계여행"의 상세한 내용은 기억나지 않지만 개미들의 희생정신과 분업 능력이 인간보다 뛰어나기 때문에 먼 장래에 지구는 사람이 아니라 개미가 지배할 것이라는 내용이다. 어려운 최악의 조건에서도 가장 사회적인 생물인 개미만 살아남아 지구를 지배할 것이라는 가상소설이다.

이번 팬데믹을 겪으면서 개미가 아니라 아마도 바이러스가 지구 최후의 생명체가 되지 않을까, 하는 생각이 들기도 한다. 아무튼지 사람이란 존재는 엄청 강하게 보이지만 내면은 그렇지도 못한 것 같은 생각이 드는 것은 우리네 요즘 실정이 반영된 것이리라.

사람은 대체로 본인의 아집과 의지를 세상이 돌아가는 기준으로 삼으려고 하는 경향이 있는 듯하다. 정치적 성향과 일상의 생활 방식도 자기 시계에 맞춰져 있을 터이니, 상대를 먼저 생각하는 것 자체가 본인의 의지를 꺾는 것처럼 생각하고 양보하지 않는다.

우리 옛 속담에 '똥 묻은 개가 겨 묻은 개 나무란다'라는 말이 있다. 자신의 잘못이 더 크고, 바르지도 못한 사람이 남의 흉을 본다는 의미이다. 공격이 최고의 방어라고 믿는 작전이리라. 우리 현실에서 너무도 많이 접하는 위선, 이중(二重)잣대의 사자성어 '내로남불'을 닮은 속담이다.

남의 오점을 발견하려고 하지 말고, 자신의 문제를 먼저 살피는 것이 발전의 기본이다. 어떤 다툼이나 이견(異見)에 대하여 상대에게 문제를 다 뒤집어씌우면 남는 것은 핑계와 원망, 자기 합리화뿐이다.

이런저런 이유로 자기방어가 우선시(優先視)되어 반드시 이겨야 한다는 투사와 같은 기질이 생기는 모양이다. 그렇게 되면 인간은 자기 최면에 걸린 듯, 퇴로를 잃고 목숨을 걸고 내닫는 경향이 있다. 인류의 전쟁 대부분은 크든 작든 지도자의 체면이나 잘못된 아집(我執)에서 기인하지 않았던가!

친구 중에는 자신은 양보, 배려 거기에 겸손마저 갖추고 있는 완전체라고 주장한다. 자기를 내세우지도, 일방적 지시도, 타인의 뒷담화도 하지 않는다고 한다. 과연 그럴까?

예를 들면, 요즘 카톡에는 그룹 채팅이 많은데 친구 중에는 꼭 두새벽부터 몇 편씩이나 카톡을 보내곤 한다. 누군가가 항의를 하면 '카톡' 소리가 들리지 않도록 설정을 하면 될 일이지 불평한다고 오히려 큰소리치며 상대의 무식함을 탓한다.

불만인 친구는 그룹에서 나가고 화해라는 것을 모른다. 자기의 주장이 맞는 것이므로 불의(不義)와 타협할 수 없다고 생각하고 끝까지 우긴다.

일상생활의 태도도 이와 거의 흡사하다. 나이가 들수록 경험과 지식으로 무장한 아집과 자기방어 의식이 높아지기 때문에 자기의 잘못을 인정하고 고치기에는 본인 스스로가 너무도 위대하다고 생각하는 것이다.

안부 전화 한 통도 자기가 먼저 하지 않는 사람도 있다. 은퇴 전에 (자기 판단으로) 잘나갔던(?) 사람 중에는 자기 외에는 모두 '밑의 것들'이라는 착각에서 먼저 안부를 묻지 않는다는 것이다.

'꼰대'란 노인, 기성세대나 선생을 뜻하는 은어이자 멸칭(蔑稱)이다. 점차 원래의 의미에서 의미가 확장, 변형되어 연령대와는 상관없이 권위주의적인 사고방식을 가진 윗사람 또는 연장자를 비하하는 명칭으로 사용되는 단어이다.

2020. 21대. 4·15 총선 홍보전이 한창일 때, 나이 든 사람들을 무조건 '꼰대'라고 지칭할 만큼 유행하기도 했다. 'kkondae' (꼰대)는 영어로도 검색이 될 정도로 이미지가 고착된 우리말이다.

단어 '꼰대'의 생성 과정은 잘 모르겠지만 한국의 나이 든 사람들의 권위적인 사고방식을 비하하는 젊은이들의 은어이다. 최근에는 나이 든 사람의 상투적 언행을 '꼰대질한다'라고 말하며 더 나아가서는 나이 든 사람을 총체적으로 부르는 새로운 명칭으로 굳혀진 듯하다.

소위, 꼰대들은 조언을 구하지도 않았는데 조언이랍시고 '나 때는 말이야~'로 말을 시작하는 경우가 많다. 이런 노인들의 언사를 비꼬기 위해 '라떼 Latte는 말 Horse이야'하며 발음이 비슷한 단어를 이용하여 농담하기도 한다.

요즘에는 남의 이야기에 '나 때는 말이야' 하며 끼어들면 뭔가 사회에서 도태된 노인처럼 보이는 시대가 되었다. '나 때의 모범 사례'가 많아 입이 근질근질하지만 참아야 할 경우가 늘어간다,

어른은 나이를 먹을수록 성숙(成熟)해지는 사람을 일컫는 말이다. 나이 먹어 머리만 커진 노인이 아니고, 마음이 커진 어른이 환영받는 사회이다. 연륜과 경험이 풍부하다고 무엇이든 다 아는 시대는 이미 지나간 지 오래다. 눈 뜨면 새롭게 바뀌는 변화무쌍한 시대에 살고 있다.

나이 어린 사람에게도 배우려는 자세가 필요하다. 눈 뜨면 손에서 놓지 않는 스마트폰의 작동에도 자녀 등 젊은 친구의 도움이 필요하다. 싸우며 미워하고 욕심낼 일도 없이 한(限)없이 넓은 세계에서 행복과 기쁨을 마음껏 누릴 수 있는 컴퓨터 조작에도 그들의 도움이 필요하다. 나이가 해결해 줄 수 없는 문제가 널려 있다.

해리 리버만 Harry Lieberman은 폴란드 출신 미국 이민자로 생활 형편이 어려워 과일 장사를 하다가 은퇴 70세 이후 그림을 배워 원시적 눈을 가진 미국의 "샤갈"이라고 평가받은 사람으로 전시관에서 개인전이 열렸을 때, 그의 나이는 101세였다.

몇 년을 더 살지 생각 말고, 내가 여전히 몰입할 수 있는 일(또는 취미 등)을 더 찾아보자. 무언가 할 일이 있는 것, 그것이 곧 삶이다. 고수는 스스로의 인생을 살아가며 필요한 일을 바로 실천한다.
이러한 인생의 고수는 만나면 만날수록
더욱 만나고 싶은 사람일 것이다.

행복은 자기(自己)에게서 싹트고, 화(禍)도
자기로부터 나오는 것이다. '세상을 보고
싶은 대로 보는 사람은 세상이 보이는
대로 보는 사람을 절대 이길 수 없다'는
말을 요즘 좋은 글에서 자주 접한다.

진정한 행복은 어떤 사건의 결과가
아니며 환경에 좌우되지 않는다. 당신의
행복을 결정하는 것은 주위에서 일어나는
일이 아닌 바로 당신이 만든 것이다.

동물들은 변화하는 환경에 순응하면서
서서히 스스로 적응해 간다. 스스로 멸망할
정도로 무모하게 도전적이지 않다. '꼰대',
'노인'. 또는 '어른' 어디에 속하든 배려와
약간의 겸손한 마음을 가지고 배우면서
살아가는 더불어 살아가는 한국을 꿈꾸어
본다.

그만하면 잘했다

지방(강원도 삼척)에 태어나서 지방(충청북도 청주)에 사는 나의 절친 이 교수에게는 '지방'이라는 단어가 차별적인 언어로 닦아온 모양이다. 그도 그럴 것이, 외국의 경우를 보면 대학이나 대기업이 수도에만 모여 있지 않으니 통털어서 수도 대(對) 지방(기타지역)이란 단어의 사용이 잘 맞지 않을 수도 있다.

이에 반해 우리나라의 경우에는 좋은 대학, 대기업 및 대형 병원이 서울에 몰려 있어 '지방'이란 단어가 자칫하면 홀대받는 지역이라는 의미로도 다가올 수도 있다.

그런데, 예나 지금이나 서울에서 어깨 펴고 폼잡는 인간의 대부분은 서울 출신이 아니고 수도권을 전부 포함하더라도 기타 지방 출신이 압도적으로 많다. 지방 출신 인재들이 서울에 많이 와서 출세했다는 결과이다.

인구 비율의 차이가 아니고, 소위 지방 출신이 타향이라는 다소 어려운 여건이 매사에 더 열심히 임하는 동기가 부여되는 여건이 될 수도 있고, 그런 동병상련(同病相憐) 때문에 지연(地緣)과

인맥에서도 우위를 차지하고 있어서 그런 것이 아닐까, 생각한다.

그러나 출신 대학별로 본다면 서울 소재 대학의 비율이 비교가 안 될 정도로 많다. 그것은 소위 명문대학이 대부분 서울에 있는데 반(反)하여 이에 필적할 만한 대학이 지방에 적다는 것이 문제일 것이다.

저출산으로 국가 차원의 고민을 안고 있는 우리나라지만 창의적인 미래 먹거리 개척을 위해서 과감하게 종합대학이 아닌 분야별 특수대학(또는 특수학교)을 지방에 세워 인재 육성에 박차를 가했으면 좋겠다.

기존의 대학이 현실을 직시하고 스스로 변혁을 시도하는 것이 가장 바람직하지만, 그들은 정부의 보조금에만 의존하고 갈 길을 찾지 못하고 있기 때문이다. 특별자치도14)가 되면 특별하게 발전하게 되는지 아직 눈에 띄는 것이 없다. 시(市), 도(道)가 '특별(特別)' 자(字)를 달면 뭐가 달라도 달라지려나?

특수대학을 지방에 세워 인재를

---

14) 특별자치도(特別自治道)는 대한민국의 행정 구역으로, 도하고 기능적으로는 거의 동일하지만 지방 자치법에 의거한 상급 지방 자치 단체로 정부가 직할하며, 법률에 의거하여 자치권이 보장된 도(道) 단위의 행정 구역으로, 고도의 자치권이 보장되는 것은 물론, 중앙정부로부터 다양한 재정 지원을 받게 된다.

육성하고, 새로운 국가 동력을 키워나가기를 기대해 본다. 그리되면 분야별로 명문대학이 가고 싶은 대학이 될 것이고, 그곳이 살고 싶은 지역이 될 것이다.

그런 의미에서 나의 친구, 이 교수는 평생을 바쳐 재직하고 있던 소위 지방대학을 그런 명문대학으로 만들기 위해 평생을 헌신해 온 것이다. 다만 뜻대로 되지 않은 것은 유감이지만 최선을 다한 것으로 후회는 없기를 바란다.

정들면 고향이라지만

잊어버리고, 혹은 포기하기도 하는 것은 마음을 비우는 또 하나의 방법이다. 만일, 근사한 별장을 사 놓고 이용하지 못한다면 참 아쉬운 일이다. 그래서 나는 별장 같은 것은 필요가 없다고 생각한다.

누구의 이야기인지 모르지만, 별장을 관리도 할 겸 아주머니를 붙박이로 채용했는데, 어느 날 근처를 가다가 별장에 들렸다고 한다. 현관에 들어서니 우아한 음악이 흐르고 은은한 커피 향이 너무도 좋다. 아주머니가 밖의 풍경을 음미하며 휴식을 즐기고 있을 때 들어간 모양이다.

나중에 그 사람은 별장을 처분했는데 그 사람 말씀인즉, 모든 물건은 '누리는 자(者)의 것'이라고 절실하게 느꼈다고 한다.

자주 가치도 못하고 관리하기도 쉽지 않으니, 콘도가 제격인데 하나의 방을 여러 사람이 공동 소유를 하고 있어서 실제로 막상 이용하려고 하면 예약이 잘되지 않는다. 회원이 아니라고 하면 오히려 예약되는 콘도의 내부 시스템을 우연한 기회에 알고 난 후부터 필요할 때마다 돈

내고 이용한다.

예전에 부산에 있는 회원 콘도에 숙박하려고 간 적이 있다. 긴 자동차 여정 끝에 무작정 가족과 도착하여 무식하게 회원이면 그냥 가면 된다고 생각했다. 그래도 지식인이니 체크인하기 전에 근처에서 전화했더니 예약이 다 차서 방이 없다고 한다. 난감한 일이 아닐 수 없었다.

부산까지 호기 있게 가족과 갔는데 되돌아올 수는 없고, 다른 곳도 성수기라서 어렵겠다고 생각해서 기지를 발휘했다. 다시 전화해서 '회원이 아닌데' 방이 있으면 돈 더 줄 테니 부탁한다고 했더니 없던 방이 생기고 그것도 전망 좋은 방에서 묵고 온 기억이 있다.

전국 곳곳에 호텔도 있고, 민박도 있고, 머물 수 있는 곳은 다 별장이니 '오직 나의 시간과 건강과 돈이 문제'일 뿐이다. 그리고 또 한 가지 고려할 사항은, 마나님과의 여건이 안 맞을 경우도 여전히 같은 문제가 있을 수 있다.

함께 손잡고 기꺼이 나들이 할 수 있도록 취미와 취향이 같으면 좋겠다. 늘 마나님과의 여건을 맞출 수가 없어서 (나서지 못하고) 이 교수 고향 그리워하듯 하니 말이다.

요즘 방방곡곡의 좋은 동영상도 많으니 혹시 고향의 모습이 그립다면 집에서도 볼 수는 있겠지만, 어찌 내 눈으로 직접 보는 고향만이야 하겠나!

고향 골목골목의 옛 기억 더듬으며 사라진 그림 맞추기, 같은 그림 찾기, 기억 되살리기를 하면서 '그때는', '나 때는' 하면서 자랑거리를 늘어놓는 맛도 제격이리라.

혼잣말로 친구에게 멋진 답안을 주어본다.

'이 교수 완벽한 기회는 없소이다. 건강에 문제가 없으면, 시간이 될 때, 혼자라도 대충 마음의 준비가 되면 훌쩍 떠나면 어떨까요.(자기는 하지도 못하는 주제에 지적질은?).

지나고 보면 시간은 마냥 기다려 주지 않는다는 걸 알게 되지요. 정들면 고향이라지만 눈 감으면 떠오르는 고향의 아련한 풍경을 어찌 지우리오!'

살기 좋은 안식처 찾기

요즘 미국 딸래미 집에서 한 달째 지내고 있지만 머무르고 있다고 생각할 뿐, 살고 있다는 느낌은 전혀 없다. 한두 달이 아니고 1~2년을 살아도 나는 여전히 서울에 살고 싶다고 생각할 거다.

여행 마니아 mania라도 두세 달여를 외국에서 보내고 귀국하면 역시 집에 돌아왔다는 안도감을 느낄 것이다.

아주 한국을 떠나 외국에 산다고 한들 고향을 잊을 수 있을까! 사람에 따라서는 태어나서 자란 곳도 아니고, 그렇다고 조상 대대로 살아온 곳도 아니지만, 어느덧 내 마음속에 전설처럼 깊이 간직된 그립고 정든 곳이 바로 영원한 고향, 한국이라는 곳이다.

마치 연어가 강(江)에서 태어나 바다로 나가 성장하다가 알을 낳을 때가 되면 다시 자신의 고향, 강으로 되돌아온다.

사람 또한 비슷한 알고리즘이 유전자에 내재 되어있는 것은 아닐까, 하는 생각이 든다. 하지만 요즘 교통편이 좋아져 세계가 일일생활권이 되어 살기 좋은 곳을 찾는 사람이 많아졌다.

한 친구는 외국 생활을 지겹도록 많이 한 경험자이니 무슨 설명이 필요하겠나? 그 친구가 최근 건강을 위한 힐링 때문에 살기 좋은 안식처를 찾고 있다고 한다.

그러나, 좋은 공기만을 생각하고 달려갈 수만은 없으니, 땅 좋고, 물 좋고, 이웃마저 좋은 곳을 찾는다는 것이 보통 일이 아니라고 한다. 내가 직접 그 얘기 들은 지 벌써 십수 년이 지난 듯한데 아직도 진행 중이다.

요즘 팔자 좋은 사람들은 외국에 자주 가서 머무르면서 소위 힐링을 하고 귀국한다. 공기 좋고, 기후도 좋고, 체재비용도 합리적인데, 또 하나 빼놓을 수 없는 것은 상식 있는 한국 사람들과 입에 맞는 한국 음식을 함께 나누며 골프도 즐길 수 있다는 것이다.

이렇듯 국내외의 살기 좋은 후보지가 늘어 가지만 여생을 느긋하게 보낼 곳으로는 '타향살이'라는 느낌을 지울 수가 없다.

결국, 그런 점을 고려해 볼 때 범위를 좁혀서 한국의 공기 좋은 곳을 새로운 거점으로 만들어 이웃을 사귀어 보기로 마음을 먹었단다.

그런 생각으로 친구는 숱한 세월을 교통 좋은 해발 700m 고지에 산 좋고, 물 맑고, 미세먼지 없고, 인심 좋고, 먹거리 조달이 좋은 입지 조건을 가진 곳을 찾고 또 찾고 있다.

그러나, 그리 찾기가 쉽지 않기에 세월은 가고 덧없이 나이는 먹는데 건강마저 안 좋아지고 있으면 누구를 탓하겠는가!

잡초는 자기를 낮춰서 스스로 척박한 곳이어서 다른 식물이 살 수 없는 곳을 택해서 뿌리를 내린다고 한다. 겸손이 생존 방법인 셈이다.

완벽하고 최상인 장소를 찾아서 그곳에서 영원히 뿌리내리고 산다는 생각은 버려야 할 것 같다.

'이곳에 의탁하고 살아 볼까?' 하는 겸허하고 가벼운 기분으로 새로운 지역에 적응하며 살아 보는 것이 좋지 않을까 생각을 해본다.

수십 년 전 타의로 고향을 떠나 춥디추운 시베리아 벌판에 내던져져서 가정을 지키고 땅을 일구며 살아온 소위 '고려인'들이 있다. 그들은 고향의 그리움을 달래기 위해 고국의 음식을 먹으며, 전통과 언어를 대(代)를 이어 지켜왔다.

고향이란 그런 곳이리라!

그런 생각으로 시작해도 영원히 고향이 아닌 타지(他地)에 살고 있다는 생각은 죽을 때까지 없어지지 않을 수도 있겠지만…

설령 한국이라도…

고향에도
못 가는 추석 연휴 위안

2020 추석 연휴는 그나마 나훈아 때문에 의미 있는 나날을 보내고 있다. KBS가 뜻하지 않은 멋진 사고를 친 것 같은 느낌이다.

팬데믹으로 집 밖 출입이 통제되고 있던 차에 오래간만에 즐길 수 있는 본격적인 인기 연예인의 프로그램이어서 환호한 면도 있다. 방송 중의 새로 발표한 '소크라테스형'이라는 곡의 가사와 나훈아의 멘트에 카타르시스 catharsis가 폭발한 것 같다.

물론 우리네 사회가 막가파식 정치꾼들에게 휘둘리고 있지만, 검열을 상세히 했다고 하더라도 그 깊은 뜻을 헤아리기에 혜안이 부족했을까 하는 것은 나만의 빗나간 생각인가?

그러나 특별한 의미가 없는 단어라고 하더라도 중국 바이러스 팬데믹 상황을 정치 수단의 하나로 이용하여 의사 표현이 막히고 일상생활이 묶여 있는 시기이기 때문에 더욱더 오묘한 해석이 많이 나오고 있는 점도 있다.

소크라테스를 형님으로 모시고 있는 나훈아이기에 있을 법한 현상임에는 틀림이 없다. 심적 감금 생활을 하는 중에 격조 높은 화두를 던져 주어 다소나마 국민의 기분 전환에 도움이 되었다고 생각한다.

최고 인기 연예인이 출연료도 받지 않고 장시간 공연을 한다고 하니 이보다 더 좋은 조건은 없었겠다. 하지만 나훈아의 '대한민국 어게인 again'을 기획한 KBS도 얼떨결에 자기 몫을 해냈다.

KBS는 수신료를 강제 징수하여 운영하는 공영방송으로써 제구실을 못 한다고 질타를 받는 현실이 아니던가! 앞으로도 용기를 내서 세금값은 해주면 좋겠다.

의연한 남자로 다시

오늘 친구 조 박사의 혈액검사 결과는 너무 좋았다. 남성 호르몬도 50대 정도라고 한다. 심장 초음파 검사도 나이에 비해 그리 나쁘지 않다고 한다. 요즘 피로감을 많이 느끼는 원인을 찾으려고 해도 내과적으로는 도움 될만한 것이 없었다.

내가 병원에서 도수치료를 받는 동안에 친구는 혼자서 신경과 진료를 받았다. 문진하고 상담을 한 결과는 늘 피로감을 느끼는 것에 대한 특별한 증상은 없다고 했단다. 그래도 미심쩍어 조 교수는 의사는 묻지도 않는데 혹시 파킨슨병에 대한 징조가 없느냐고 물어보았단다.

조 박사의 말을 듣고, 의사가 이것저것 몸짓을 시켜보고 하는 말이, 양손을 펴고 있을 때, 왼손 검지가 약간 흔들리고, 얼굴 표정이 전형적인 파킨슨병 환자의 힘없는 표정과 같다고 했단다.

걸음걸이도 왼쪽이 힘이 없어 보이고 아주 초기 의심은 가지만 투약이나 치료의 단계라고 단언하기는 어렵다고 하면서 상급병원 진료의뢰서를 써 주었다고 한다.

의사는 아무것도 아닌 듯이 초기라고 얘기했지만, 파킨슨이라고 하니 기분은 썩 좋지 않아 했다. 이런 상황에서 대학병원에서 정밀 검사를 받아야 할지 고민하며 나에게 자문해 주기 바랐다.

애초 파킨슨병 얘기가 나온 것은 친구가 재직하는 대학교의 부속병원에서 기관지, 천식 등 지병으로 이비인후과에서 진찰받은 후, 여담 겸해서 주치의에게 가볍게 문의한 후부터이다. 요즘 많이 피곤한데 의심될 만한 증상이 없느냐고 물었다.

주치의는 이비인후과적인 측면에서는 아무 이상이 없다고 하면서 불확실하지만, 파킨슨병의 초기 징후가 걷는 모습에서 보이는 것 같고, 그로 인한 피로감일 수도 있다고 지나가는 말처럼 했다는 것이다. 그 이후로 친구 뇌리에 파킨슨병이 늘 걸려 있는 상황이었다.

조 교수의 성격상 의사가 확실하게 "파킨슨병이 아니다"라고 하지를 않았으니 계속 고민할 것이 뻔하다. 이상징후 없는 사람도 정기종합검진 결과 보기가 두렵다.

이 친구는 파킨슨병이 의심이라고 하니 검사를 받아서 의심이 사실로 판명되면 어쩌나 하는 고민이 크다. 남의 얘기로만 듣던 파킨슨이 만일 나의 병이 된다면 하는 두려움도 두려움이지만, 마나님에게 얘기하면 걱정할 테니 그것 또한 걱정이란다.

검사 결과가 아무것도 아니면 왜 비싼 돈 주고 검사를 했느냐고 할 것이고, 결과가 그 병이면 왜 그렇게까지 방치했냐고 나무랄 것이 뻔하니 어찌할까 주저하고 있단다. 그렇다고 아무 일도 없었던 것처럼 지내기는 더욱 불안하다.

남자, 남편, 아버지의 똑같은 고민이 아니겠나! 어쨌든 결과가 좋았으면 좋겠다.

* 결국 그 친구는 파킨슨 확정판결을 받았고 너무도 소심한 친구여서 바깥출입마저도 줄이며 치료에 전념했다.

그러나 재수 없게(?) 팬데믹 기간이 겹치는 바람에 재미없게(?) 집에서 놀다가 저세상으로 먼저 갔다.

파킨슨이라도 자기 수명 다하고 장수하는 사람들도 많다고 들었다.

오호통재(嗚呼痛哉)라!

인생이란, 삶이란, 그렇게 왔다가 사라지는 꿈 같은 존재인가 보다.*

꾸어다 놓은 보릿자루

오늘 아침 불현듯 몇 년 전 친구가 미국에 사는 두 딸 집을 마나님과 함께 다녀와서 한 예기가 떠오른다. (친구는 두 딸이 모두 미국에서 결혼하여 살고 있고 서울엔 두 부부만이 살고 있다) 마나님이 두 딸을 너무 아껴서 출국하기 전에 김치 만들고 각 가지 반찬, 손주들 선물 챙기기에 너무 분주하다.

친구는 짐 넣을 헌 박스 box 주어 오고, 마지막에 박스 묶는 작업이 전부라고 한다. 물론 공항 가고 오는 동안의 짐꾼 역할도 맡아야 한다. 하는 일이 이토록 막중하다 보니 늘 마나님과 동행해야 하는 중요 인물일 밖에 없다.

그 집 손주들은 한 명도 아니고, 이미 커서 아침 일찍부터 밥 먹여 등교 준비하는 등 바쁘다고 한다. 그런데 자기는 그림자 사람이 되어 관심 가져주는 사람이 없다는 거다. 밥을 먹었는지 무엇을 하고 있는지 무관심의 대상인 것 같아서 씁쓸함을 지울 수가 없었다고 한다.

우리네 식습관은 맛있는 반찬은 귀한 손님(사위, 손주들) 앞에 놓여있게 마련이니, 교수님은 늘 반찬 선택하기에 거리감을 느끼곤 한단다. 그럴 때마다 살짝 서글퍼지곤 한단다.

그래도 가장이고, 아버지이니 집안에서는 제일의 대장이라는 옛날 방식의 사고방식에서 오는 불손한 생각일랑 추호도 없는 위인(爲人)이다. 그런 사람이지만 매일 반복되는 상황이 마음 한편에 섭섭함으로 도사리고 있는 기분 알만하다.

친척 집에 놀러 갔는데 사람은 많지만 나에게 관심 가져주지 않는 마치 초대받지 않은 사람처럼 겉도는 기분 말이다. 우린 그런 느낌 잘 안다.

6·25를 경험하고 줄곧 가난한 시대를 살아온 우리네는 이런저런 상황에서 배고픔이나 푸대접의 경험이 있다. 그래서 그런지 눈치코치도 늘고 (좋은 표현으로) 사양하며 겸손 떠는 법도 배워가며 본의 아니게 일찍 어른이 되어갔다. 그래서 척하면 그런 미묘한 감정을 잘 안다. 친구가 어린 시절의 그 기분을 느낀 것은 아닐까?

그런데 큰딸이 귀국 즈음해서 '아빠, 이제 미국에서 같이 살자'고 얘기했을 때 잠깐 자기를 아껴준다는 생각에 감동했다고 한다.

'여기는 아는 친구도 없으니 재미없지.
그런데 왜?'
하고 묻자, 딸이
'죽으러 오는 거지'하고
대답하길래 할 말을 잊었다고 한다.

　대학교수는 일반 직장인들과 달리 매일
하루종일 강의하는 것이 아니기 때문에
부부가 함께 지내는 훈련이 잘 되었다고
생각한다.

　정년 퇴임 후에는 마나님에게 잘
보이려고 열심히 쓰레기 버리기를 솔선해서
한단다. 빌라 관리 봉사도 하며 시간을
때우고 있지만 역시 자유가 그리운
모양이다.

　워낙 샌님 같은 친구라서 본인이 먼저
연락해서 특별한 볼일 없이 나서지는
않으니 마나님이 삼시 세끼를 준비한다.

　본인이 먹고 싶은 음식을 요구할 수도
없거니와 매일 얻어먹는 것도 눈치가
보이기 마련이다. 불현듯이 내뱉는
마나님의 푸념 속에는 평생 밥 차리기가
지겹다는 귓속말이 들린다.

　그런데 작년 여름에 식사를 같이하자고
전화가 왔다. 요즘은 혼자라서 점심 골라
먹기가 신경 쓰인다고 한다. 마나님은

어쩌고 혼밥이냐고 하니까 마나님은 혼자 미국 딸 집에 갔다고 한다. 이번에는 여차저차 그럴듯한 핑계를 대서 빠졌다고 한다. 이젠 우리 교수님 매끼 식사 메뉴 선택이 문제란다. 행복한 고민일까?

아마도 두고두고 마음속에서 이런저런 상상을 하며 나에게서 위로의 해석을 구(求)하고 있음 직하다. 그런 친구가 지금은 어떤 생각을 하며 병석에 누워있을까, 생각하니 눈물이 난다.

삶이 그대를 속일지라도

옛날 회사 일로 해외 출장 때에는, 그 지역의 유명한 관광지나 음식점을 찾아가지 못했다. 그럴듯한 공연도 체면 차리느라고 사양하고 쇼핑도 하지 못하고 귀국하곤 했다. 지금 와서 생각하니 도시 이름만 생각나지 기억에 남는 곳이 없어 조금은 아쉽다.

이제는 해외여행을 하고자 한다면 맘먹고 갈 수 있지만, 시간과 돈 문제에다가 건강까지 고려해야 하니 맘대로 되기 쉽지 않다. 미국에 사는 딸네에 간들 오래 머무르기에는 속 편하지 않기는 마찬가지지 싶다.

딸네 집이라 허물이 없다고는 하지만 경험에 비추어 볼 때, 처음 며칠은 제법 분주하게 할 일이 있는 듯하다. 아빠들이 할 만한 일이 별로 없다고 느끼면 꾸어다 놓은 보릿자루 신세라고 스스로 느끼는 것이 일반적일 것이다.

그렇지만 엄마는 오래간만에 엄마 손맛을 보여주려고 바쁘고, 살림살이 가르치는 잔소리 같지 않은 잔소리로 쉴 틈이 없다.

얼마 전 오래간만에 캐나다에서 사는 친구가 다니러 왔다. 딸이 아이를 낳아 예쁜 손녀도 볼 겸하여 귀국했다고 한다. 친구와 통화 도중에 손녀가 울어 전화를 끊어야 한다고 하길래 갑자기 이런 생각을 해본다. 이 할아버지는 아직 할 일이 많구나.

내가 담당할 일이 있다는 것이 얼마나 다행이고 행복한지 모를 일이다. 힘들다고, 피곤하다고, 나도 아프다고 외치고 싶을 때도 많지만, 그래도 나를 필요로 하는 지금이 가장 행복한 때라고 생각해 본다.

행복은 다른 사람의 행복과 함께 있다. 헤밍웨이 Hemingway는 행복의 의미를 다음과 같이 정의하였다. 행복을 가꾸는 것은 자기 손이 닿는 데에 꽃밭을 만드는 것이라고 했다. 행복은 거창한 장소에 있는 것이 아니다.

바로 옆에 있는, 바로 앞에 있는, 거의 매일 안부를 보내오는 친구이기도 하다. 우리에게 누가 행복을 가져다주는 사람이라고 생각하나요? 따뜻한 마음으로 항상 가까이서나, 먼 곳에서도 나를 찾아주고, 찾아가는 바로 그 사람이다. 캐나다에서 온 친구의 행복 꽃밭은 손녀가 아닐까?

신흠은 인생의 삼락(三樂)을 '문 닫고 마음에 드는 책을 읽는 것', '문 열고 마음 맞는 손님을 맞는 것', 문을 나서 마음에 드는 경치를 찾아가는 것'이라고 했다. 낭만적으로 느낄 수 있는 옛 선비의 호사라고 생각할 정도이다. 오늘의 우리는 이렇게 누릴 수 있을까를 생각해 본다.

어느 지인의 말처럼 30년은 멋모르고 살고, 30년은 가족을 위해 살고, 이제 남은 시간은 자신을 위해 살라는 말이 있다. 삶의 여정 중에서 지금이 가장 좋은 나이라고 믿자.

'삶이 그대를 속일지라도 슬퍼하거나 노하지 말라'는 푸시킨 Alexander Pushkin의 말을 떠올린다. 기쁨의 날이 오리니 우울한 날들을 견디며 믿으라. 마음은 미래에 사는 것 현재는 슬픈 것 모든 것은 순간적이고 지나가는 것이니, 그리고 지나간 것은 훗날 아름다운 추억이 되리라.

'절망적인 상황이란 없다. 절망하는 인간만 있을 뿐이다'. 하인츠 구데리안[15] Heinz Guderian의 이야기이다. 자신의 과거를 생각하며, 예전에 멋있고 예뻤던

---

15) 나치 독일의 군인, 정치가, 문필가. 제2차 세계 대전 시기 독일 국방군의 지휘관으로 복무했다.

기억을 떠올리며 우울한 오늘 하루를 보내는 것이다. 그렇다고 해서 오늘은 우리가 살아온 날들 중 가장 나이가 많은 날이라고 절망하지 말자. 오늘에 대한 또 한 가지의 선택은 자신의 모습에 만족하며 오늘을 즐기는 것이다.

나의 삶은 나만의 사유지(私有地)이다. 내가 아끼고 정성들여 가꾸어야 할 나의 고유의 영역이다. 가끔이라도 우리는 '아니요' 또는 '그건 나한테 상처를 주는 일이야', '내가 날 마음대로 할 수 없어'라는 등의 말을 하면서 자신의 존재를 알리는 경계선을 그어야 한다.

그렇게 하지 않는다면 우리는 의도적이든 아니든 우리를 통제하려는 사람들에게 힘을 넘겨주게 될 것이다. 힘을 되찾는 일은 바로 자신의 책임이다.

오늘은 내가 살아갈 날들 중 가장 나이가 많은 날이기도 하지만 거꾸로 생각해 보면 오늘은 내 인생에 가장 젊은 날이다. 나는 젊음을 즐기며 앞으로의 인생을 의미 있고 행복하게 살 것이다.

늘그막의 사랑 표현

사람은 살아가면서 더욱 자기 사랑 egoism이 깊어지는 경향이 있는 것 같다. 부부 사이든, 가족 관계이든 오랜 세월을 동거동락(同居同樂)한 사람 간(間)에는 설명하지 않아도 너무 잘 안다고 생각하고, 각자가 자기 판단 위에 상대방을 대하기 때문에, 종종 큰 오해가 생기는 것은 아닐까?

전에 읽은 이야기 중에 닭 다리를 좋아하는 할아버지와 닭 가슴살을 좋아하는 할머니가 서로 자기가 좋아하는 것을 상대방에게 권했기에 평생을 오해하며 살았다는 내용을 카톡에서 읽은 적이 있다.

자기가 좋아하는 부분을 먹으려고 좋아하지 않는 것을 준다고 오해하고 지냈지만, 상대를 배려해서 평생을 말 못 하고 살아온 것이다. 남편은 아내를 사랑하기 때문에 좋아하는 닭 다리를 아내에게 주고, 아내는 남편이 주는 것이니 좋아하지 않지만 받아먹었다. 먹고 싶어 하는 것을 남편이 좋아하니 자기가 먹겠다고 할 수 없어서 주는 대로 먹은 것이다.

우리 모두 어린 시절 읽고 감동 받은, '크리스마스 선물'로 많이 알려진 오헨리의 단편소설 The Gift of the Magi 이야기를 기억하고 있다. 남편은 아내의 멋진 긴 머리에 어울리는 머리핀을 사주려고 줄이 없는 시계를 팔았고, 아내는 남편의 시계줄을 사려고 긴 머리카락을 잘라 판다.

크리스마스 선물 이야기는 사랑이라는 큰 감동을 주었다. 그러나 같은 맥락의 닭다리 이야기는 사랑의 감정 이외에도 뭔가 안쓰러운 감정이 섞여진다. 우리가 흔히 겪을 수 있는 일이기도 하여 여러 감정을 불러온다.

살다 보면 이런 감정을 느끼게 하는 일이 하나둘이겠나? 긴 세월 쌓였던 오해, 불만, 미운 정이 자기 마음에 와닿지 않는 일이 생기면 나쁜 감정으로 치닫게 되기가 일쑤이기 때문이다. 잘해 주려고 노력했던 일이지만 상대방은 잘못 이해하고 "두고 보자"하며 마음에 새겨 둔 응어리들이 있을 수도 있다.

그런 휴면 화산이 건강이 안 좋을 때 더 자주 폭발하니까 뜻하지 않은 옛일로 날벼락을 맞는 경우가 많이 발생한다. 몸이 불편하여 나오는 짜증이고 하소연이니 논리로 설명해서 무엇하리오! 상대방이 건강이 안 좋을 때 "(너만 아니고) 나도 몸이 안 좋다"라고 맞장구칠 수도 없는 상황이다.

며칠 전 친구의 글을 받고 위로한답시고 몇 자(字) 적어 보냈다.

"집사람이 심장박동기를 달았을 때, 그리고 급성 폐렴으로 수술을 받았을 때 기억이 생생하게 되살아납니다. 수술실 밖에서 기도할 뿐 내가 할 수 있는 일은 아무것도 없었지요.

아프다는 것, 두렵다는 것은 사실 당사자 말고는 그 감정을 그대로 접수한다는 것은 거짓일 겁니다. 환자는 세상에서 가장 아프고, 괴롭고, 두려운 사람이지요.

옆지기는 대신 아파줄 수 없어 맘 아프고 슬프지만, 그런 마음을 알아주는 사람이 없을 때 가장 괴롭고 외롭지요, 마땅히 호소할 곳도 없지요! 홀로 참고, 고민하고, 의연한 척 환자를 위로하고 격려하며 괴로워하지요.

그렇지만 마나님이 의지하고 힘을 낼 수 있는 것은 옆에서 버티고 있는 옆지기 때문입니다. 지치고 피곤하고 곧 쓰러질 것 같더라도 참고 견디기 바랍니다. 마나님은 그 기운을 받아 빨리 회복될 겁니다.

검사 결과를 받아들이고 수술이라는 대장정 앞에서 얼마나 두려웠겠습니까! 용정이라는 말만 들어도 새파랗게 질리는데 말입니다. 더구나 어려운 부분이다 보니 더욱더 놀랐겠지요.

그래도 마나님이 수술도 잘 끝나고 그만하기에 다행입니다, '내가 돌볼 수 있어 다행이다', 하면서 감사하며 살아야 편안합니다."

건강이 좋아지면 집안 분위기도 좋아질 테니, 건강 찾고 웃음을 찾기를 기도할밖에. 사랑하기에 짜증도 내보고 투정도 부리는 것이다.

이 모든 것이 늘그막의 "사랑합니다"의 어려운 표현이고 몸부림이다.

대화가 필요해

우린 이사 온 이후로 차차 안정되어서 편안한 나날을 보내고 있다. 마치 고향처럼 오랫동안 살았던 (재개발 예정인) 반포주공아파트보다 조금 좁아서 걱정했다.

그런데 공간 배치가 좋아서 집에 들어서면 확 트여서 좁지 않게 보이니 많이 커버가 된다. 베란다 창문 앞에 건물이 없어서 넓게 보이는 점도 맘에 든다. 짐은 다 풀지 못했으나 그런대로 안정됐다.

지난주 수요일 우리 부부가 아들이 예약해서 서울대병원 검진센터에서 종합검사를 받았다. 검진 다음 날 전화로 혈관이 심하게 막힌 곳이 두세 군데 있어서 정식 검사 결과 통보 전에 우선 급하게 알려준다고 한다. 만일, 원한다면 혜화동 서울대병원 심장내과에 예약을 해주겠다고 해서 놀랐다.

아들하고 상의해서 아들이 근무하던 아산병원에서 검사하고 시술받기로 했다. 집사람에게는 아직 알리지 못했다. 워낙 조그만 일에도 심하게 걱정을 하는 사람이니까. 수술이든 시술이 걱정이 아니고 집사람을 어찌하면 놀라지 않게 하나가 걱정거리이다.

상태를 들어보니 스탠드를 삽입하는 수순을 밟아야 할 것 같으니 걱정하는 시일(時日)을 줄인다는 의미에서 입원 임박해서 어떻게 얘기해야 할지 고민 중이다. 나 자신도 약간 겁도 나서 이제 그럴 나이니 올 것이 왔다고 나 자신을 설득하려고 애쓴다.

겉으로 보기에는 멀쩡하니까 집사람은 상상도 하지 못할 것이다. 집사람이 알면 걱정이 많을 것 같아 검사 결과를 털어놓기가 너무도 미안하다. 하기야 집사람은 심장박동기를 달고 사는 사람이니 그 정도는 별거 아니라고 위로라도 해주면 좋으련만.

아픈 모습 보이고 싶지 않은 것이 남자의 일반적인 수컷본능일까? 자존감의 표출일까? 아니면 그것도 일말(一抹)의 사랑 표현이라고 말할 수 있을까? 내가 아끼는 가까운 사람에게 자존감은 불필요할까?

자존감을 내세워 오히려 나를 힘들게 하는지도 모르겠다. 우리는 사랑을 얻지 못할까 두려워하고, 사랑을 얻으면 그것이 오래가지 않을까 두려워한다. 그렇지만 그런 사소한 피할 수 없는 현실들이

닮아오고 있다.

나이 들면서 상대방이 알면 좋아하지 않을 건강상의 비밀이 하나씩 늘어가고 있다. 언젠가는 알아야 하고 알려질 수밖에 없는 일들이지만 하루라도 더 늦게 알리고 싶은 것이다.

아무 일도 없었던 어제처럼 그렇게 지내고 싶은 심정의 발로일까? 아니면 나 스스로가 두려워서 발설하기를 꺼리는 것일까?

여자(부인)들의 경우는 남자(남편)와는 다르게 여기저기 아프다는 호소를 서슴없이 한다. 어떤 때는 그 아픔을 함께 아파해 주기보다는, 엄살을 떨거나 어리광을 부리고 있는 것은 아닐까 의심이 들기까지도 한다. 물론 모든 집의 부부가 다 그렇지는 않을 것이지만 내가 보고 듣는 범위 내에서는 그렇게 느껴지는 가정(家政)이 많을 듯싶다.

여성의 경우 감성이 예민하고 호소력도 뛰어나니 감추기보다는 표현하고 동조를 구하는 편이지만 남성의 경우는 참고 혼자 해결하려는 옛적 가정교육 내력에서 기인 되는 것으로 생각한다. 남자는 자신의 불만도, 부당함도, 원하는 것을 이야기하는 것에 익숙하지 않다.

그렇게 하는 것이 남자답다고 배워왔다. 속 깊은 내면(內面)을 보이기가 어렵다. 그렇기에 문제를 회피하고 시간이 지나기를 기다리는 것이다. 나를 비롯해 많은 한국의 남편들이 속내를 털어놓고 허심탄회하게 대화할 용기가 필요하다고 생각한다.

아무쪼록 서로의 생각을 나누고 공감하면 자질구레한 오해는 해소될 것이고 한층 더 돈독한 사이가 될 것이 틀림없겠지만 이런 간단한 상식조차 실천하기가 쉽지 않다. 아직도 그런 경우 상대방이 어떻게 생각할까, 가볍게 보이지는 않을까, 의구심이 있기 때문이다.

일본에는 '아무것도 하지 않는 사람 (Do-Nothing Guy)'으로 알려진 남성이 있다는 보도를 보았다. 그는 일종의 대여업을 하는데 대여 품목이 바로 자기 자신이다. 고객의 의뢰에 따라 정해진 시간에 정해진 장소에 가서 아무것도 하지 않고 가만히 있어 주는 서비스이다.

현대는 놀거리, 볼거리가 많지만, 여전히 외로운 존재가 많은 모양이다. 우리 주변의 가까운 사람에게 우리의 존재를 오롯이 제공하는 것이 무엇보다 중요한 시대인 것 같다. 그것을 누군가는 같이 있어 주고 귀 기울여 주는 따스함이라고 했다.

보이지 않는 손

뻥 뚫린 가슴을 무엇으로 메우리오
'보이지 않는 손'은 언제나처럼
외롭고 괴로울 때 우리를 어루만져 치유하지요.
지금도 그분이 어루만지고 있지요.

지금은 어여쁜 손주가 나타나 어둠을 메워주었듯이
그 이전에 어머니가,
그리고 토끼 같은 자녀들이 있어 꽃길임을 잊었나요?
이제는 그들과 함께 마음의 빈공간을 채워나가야지요.

우리 스스로는 베풀기만 했다고 생각하지만
받기만 하고 살았던 것은 아닐까?
사실 우리는 서로의 버팀목이 되어 그 빈자리를 메우지요.
보이지 않는 손은 바로 옆에 있지요.

아직 먼 곳, 하늘에서 도움을 求하고 있나요!
뻥 뚫린 가슴을 메우는 '보이지 않는 손'
'사랑의 묘약'은 바로 그분, 당신 옆에 있지요.
당신을 위해 괴로워하고 가슴 아파하네요.

인생의 마지막 순간에서

이 교수는 미국에 사는 친구가 어머니가 위독하다는 전갈을 받고 급히 귀국했는데 어머니 병환이 호전되어 되돌아갔다고 한다. 이 교수는 미국에서 어머니 임종을 함께 하려고 온 친구를 보며, 죽음에 대하여 이런저런 생각을 한 모양이다.

요즘 자식들이 외국에 사는 경우가 많아서 특별히 맘먹지 않으면 만나 보기가 쉽지 않다. 이 교수 친구 어머니처럼 '임종'이라는 특별호출이 아니면 자식들 한꺼번에 만나기가 어려울 터, 이번에 그 어머니 죽기 전에 소원 풀었는지도 모르겠다. 때가 설 명절 전이니 기왕에 잘된 일이라고도 생각해 본다.

극단적인 방법이지만 어머니의 임종이 가까운 것 같다는 소식을 해외에 있는 아들, 딸들에게 알려서 온 가족이 함께 모이는 기회가 되었다고 한다. 아마도 그런 일이 아니면 그 친구는 어머니 보러 한국에 오지 않았을지도 모르니 말이다. 자식들은 황당했을까, 아니면 그간의 행보를 반성하는 기회가 되었을까, 궁금하다.

'보고 싶다, 사랑한다'의 표현이 때늦지 않아야 하는데 나는 늘 타이밍을 놓쳐 집사람에게 질타를 받는다. 부모님께도 당신 입장에서 적시(適時)에 표현했어야 하는데 두 분 다 안 계신 지금에서야 후회가 된다.

드라마나 다큐멘터리를 보면서 부모 또는 사랑하는 사람이 세상을 떠난 지금에서야 못다 한 사랑을 후회하는 장면을 보면, 같이 공감하며 눈물 흘리면서도 정작 내 곁의 부모나 사랑하는 가족은 잊고 사는 다른 세상 사람인 듯하다.

그래서 철든 노인들은 오래 살기를 바라기야 하겠지만, 홀로 일상생활이 어려울 때 신세를 져야 할 이들에게 미안하고, 인생의 마지막 순간이 두렵다. 죽지 않는 불사조처럼 내일을 생각하지 않고 살지만 '사람은 죽음을 피할 수 없다'는 명제 앞에는 달리 취할 수 있는 선택은 없지 않겠나!

나의 친구 이 교수는 '장수가 자식에게 폐가 될 정도여서는 안 되지만, 그 '정도'를 내가 선택할 수가 없으니 문제다'라고 얘기한다.

만일 선택한다면 그건 누구나 할 수 없는 다른 차원의 결단이 필요하다. 그럴 용기는 없으니 그래서 걱정이라고 걱정이 될 수 없는 걱정을 한다. 이 교수는 요양원이나 병원에서 임종하기는 싫다고 한다. 그러나 이는 다른 대안 없는 막연한 희망 사항일 수도 있다.

1930년대까지만 해도 미국인은 대부분 가정에서 죽음을 맞이했지만, 요즘엔 미국인의 80퍼센트 정도가 병원이나 요양원에서 죽음을 맞이한다고 한다. 우리는 현실적으로 언제 죽을지 선택할 수 없다. 그래서 만일 할 수만 있으면 어디서 죽을지를 선택하고 싶어한다.

임종을 앞둔 할아버지가 사랑하는 가족에게 둘러싸인 멋진 그림이 다시 떠오른다. 하지만 집에서 모시는 일은 그리 간단치 않다. 병원에서는 때맞춰 진통제를 투여하고 최대한 편히 가도록 모든 조치를 해줄 것이다.

그래도 어디에서 임종할 것인가는 선택할 여지가 조금은 있다. 가능성이 있을 경우를 대비해서 이런 사항도 정신이 멀쩡할 때 유서에 써 놓으면 좋지 않을까! 그러나 '집에서'는 여건상 가족에 의하여 채택되지 않을 가능성이 많을 듯하다! 16)

---

16) "인생의 마지막 순간에서 Advice for Future Corpses" [셸리 티스테일 지음. 박미경 옮김] 의 기억

은사(恩師) 님 영전(靈前)에

　고(故) 이기을 교수님은 연세대학 1학년 때 전공인 경영원론을 가르친 은사이다. 교수님은 1964년 창립하여 현재까지 왕성한 활동을 하는 연세대, 고려대, 서강대, 서울대, 숙명여대, 이화여대 경영학과의 연합 써클, 향영회(Buma Society)의 초대 지도교수였다.

　돌아가셨다는 신문 보도를 보고 강경화 외교부 장관의 시아버님이라는 것을 알게 됐고, 요트를 사기 위해서 출국하는 논란이 된 어느 교수가 강경화의 남편이라 더욱 크게 보도가 되어 이기을 교수님의 아들(이일병 연세대 명예교수)이라는 것도 알게 되었다. 조금 괴짜라는 것은 들어 알고 있었지만 이런 가족 관계를 알고 남다른 생각이 든다.

　그런데 오늘 그 아들은 장례식에도 참석하지 않았다. 신문 보도에 의하면 요트 계약 때문이라는 것이다. 며느리, 강경화는 일반 문상객처럼 조문(?)만 하고 출근했다고 하니 개화 진보된 가족들이라고 생각해야 될지, 불효 막심한 자식이라고 치부해야 할까 혼란스러움은 어쩔 수 없다.

가족 관계는 복잡 미묘해서 같이 살아도 알기 어렵다. 더구나 남의 집 사정을 속속들이 알 수가 없으니 이렇다 저렇다 평(評)을 하기는 언어도단(言語道斷)이다.

그렇지만 상류사회의 주목받을 만한 집안이기에 상당한 사정이 있겠지만 그것조차 화제가 되는 것이리라. 아버지인 나로서 감내(堪耐)하기 어려운 연민의 정(情)이 남는다.

지방에 사는 한 친구는 암 투병 중이라서 그렇겠지만, 요즘 특별히 죽음에 대하여 많은 생각을 하는 모양이다. 집에서 가족이 보는 앞에서 생을 마감하고 싶다고 한다.

아파서 입원할 경우 집에서 임종할 수도 없을 테니 입원실 경비(經費)를 알아보았다고 한다. 다인실(多人室)보다 1인실을 선호하는데 알아보니 대개는 입원료가 하루에 50만 원 이상이라고 하니 고민이란다.

본인이 친구들에게 듣고, 겪어 본 바에 의하면, 외국에 사는 자식들은 있으나 마나 한 존재라며, 미국에 사는 딸은 벌써 포기한 듯이 얘기한다. 고(故) 이기을 교수님의 장례 소식을 접하면서 친구의 넋두리가 어쩌면 사치스러운 꿈은 아닐까, 마음이 착잡해진다.

전해지는 바에 따르면 가물치는 알을 낳은 후 바로 실명을 하여 먹이를 찾을 수 없다. 어미는 그저 배고픔을 참는 수밖에 없다. 그런데 부화되어 나온 수천 마리의 새끼들이 천부적으로 이를 깨닫고 (어미가 굶어 죽는 것을 볼 수 없어) 한 마리씩 자진하여 어미 입으로 들어가 어미의 굶주린 배를 채워 준다고 한다.

그렇게 새끼들의 희생에 의존하다 시간이 지나 어미가 눈을 뜰 때쯤이면 남은 새끼의 양은 십 분의 일조차도 안 된다. 대부분은 자신의 생명을 어미를 위해 희생한다. 그래서 가물치를 '효자 물고기'라고 한다.

모성애의 물고기 연어는 목숨 바쳐 새끼들을 고향에 돌아와서 낳고 일생을 마감한다.

우렁이 알은 부화하면 어미의 살을 파먹으며 성장한다고 한다.

사람의 모성애도 하늘이 내려준 거슬릴 수 없는 아름다운 선물일 것이다. 사람은 자신을 위해 희생하신 어머니를 살아생전에 얼마나 그 사랑을 알고 있을까?

잘된 일은 모두 나의 노력과 자신의 행운(幸運) 덕분이라고 자만하지는 않았나?

보상을 바라지 않는 무한정 주기만 하는 부모의 사랑을 내가 살기 위한 '찬스'로 밖에 생각하지는 않았나?

나의 부족함의 핑계를 입버릇처럼 '부모탓'으로만 여기고 살지는 않았나?

부모가 가난해서, 부모가 가방끈이 짧아서, 아빠가 바람둥이라서, 엄마가 때려서 등등(等等), '못난 자식'에게는 모든 것이 부모 탓이다. 그러나 '잘난 자식'에게는 그 모두가 동기부여의 원인이 된다.

내가 부모님에게 진심 어린 마음으로 몇 번이나 사랑했던가 돌아보게 된다. 아무 말을 던져도 귀엽게 돌아보시며 웃으시던 그 두 분의 얼굴이 아련하다.

옛날엔 대가족이 살아도 싸움을 모르고 살았지만, 오늘은 소가족이 살아도 싸움이 일상(日常)이다. 나만을 챙기는 개인주의 탓이리라. 그 밑바탕에 끝없는 욕심이 있다. 하찮은 무지렁이 이 물고기들을 생각하면서 잘난(?) 인간을 돌아본다.

나의 이 친구는 기억력이 좋고, 계획적으로 사는 사람이니 벌써 이것저것

앞일을 구상하고 있다. 아니, 서글프지만 이제 그런 생각과 준비를 해야 할 나이가 되었나 보다.

삼가 고(故) 이기을 교수님의 명복(冥福)을 빕니다.

무자식 상팔자
일본 친구를 생각하며

집사람이 딸에게 가끔 욕설 같은 푸념을 하곤 한다. 있는 돈 없는 돈 아껴 가며 유학 비용 대주었더니 미국에서 결혼하고 눌러 앉았다고...

그럴 줄 알았다면 유학을 보내지 않았다는 후회하며 하는 한탄이다.

그럴 때마다 일본 친구 요시에 예기를 한다. 그 친구는 자식이 없다. 만날 수 없는 먼 곳에라도 자식이 있다면 그 자체로 마음이 위로받을 것 같다는 얘기를 하면서, "무자식이 상팔자"라는 예기는 자식 둔 사람들의 사치스런 푸념이란다.

자식이 있는 사람은 자기 자식에 대한 미래의 기대감과 두려움이 있는데, 그 기대만큼 자식이 풀리지 않았을 때 몰려오는 좌절과 배신감 때문에 차라리 (미래에 대한 걱정을 덜기 위해) 자식이 없는 것이 낫다고 생각하는지 모르겠다.

육아하는 젊은 엄마는 이렇게 말한다. "무자식 상팔자가 확실히 맞는 거 같다". "시간을 되돌릴 수 있다면 정말 그냥 혼자 살고 싶다". 아이들이 커 가면서 책임만 남고 부모로서의 권위나 키우는 보람이 없어지는 것 같아 힘들다는 것이다. 이런 젊은 엄마들은 주변의 너무도 자유로운 싱글 친구들의 생활이 부러울 수밖에 없다.

정상적인 부부 생활을 영위하면서 의도적으로 자녀를 두지 않는 맞벌이 부부를 딩크(DINK; Double Income No Kids)족이라고 한다. 딩크족과 대비되는 개념으로 아이가 있는 맞벌이 부부를 듀크족(Dual Employed With Kids의 앞 글자를 따서 만든 말)은 경제적으로 풍요로운 편이라 자녀에게 집중적인 투자를 하는 경향이 있다.

육아를 위한 비용이 점점 늘어남에 따라 딩크족이 증가하고 있는 면도 있지만, 수입이 제법 괜찮음에도 인생을 즐기기 위해서 또는 자아 성취를 위해, 아니면 다른 목적을 위해서 아이를 갖지 않고 사는 사람이 점점 많아지고 있다고 한다.

저출산이라고 하면 흔히 대두되는 젊은 층이 집이나 직장, 적은 수입, 양육비와 교육비 등이 겁나 아이를 못 낳는다고 분석과는 개념이 따른다. 출산율을 높이기 위해서 만족도에는 미치지 못하지만, 정부

당국의 정책도 이런 측면에 집중하고 있다.

모든 것을 돈으로 환산하면 가치는 사라진다. 저출산도 우리 사회의 가치관이 반영된 결과다. 예전에는 결혼과 출산은 사람의 가치였기 때문에 비용을 계산해 결정을 내리지 않았다. 선진국의 출산율이 우리보다 높은 근본 이유도 결혼과 출산을 여전히 인간 가치의 영역에 두고 있기 때문이다. 17)

돈만이 저출산의 이유일까?

예나 지금이나 현실을 관찰하면 선진국이 후진국보다 저출산 문제가 심각하고, 저소득층일수록 자녀를 많이 두는 것도 현실인 것 같다. 이런 단편적인 면으로 판단한다면 정부 당국의 정책이 맞는 것일까 회의를 느끼기도 한다.

최근 어떤 조사에 의하면 25~39세 남녀의 34.3%가 자녀를 두지 않겠다고 한다니, 한국의 합계출산율 0.74명이 그냥 나온 수치가 아님을 알 수 있다. 모든 것은 때가 있다. 젊어서 인생을 즐기고 재산을 늘리는

---

17) 김병연/ 서울대 경제학부 석좌교수

것에 삶의 의미를 찾는 무자녀 생활도 의미가 있다고 하겠다.

그렇지만 수입을 좀 더 쓰더라도 아이와 아웅다웅하면서 기쁨을 키워가는 것이 행복이 아닐까?. 내 친구 요시에(吉江)처럼 나이가 들고, 늙어가면서 자녀가 그리울 때가 오지 않을까?

무자식 상팔자와 유자식 상팔자는 단순히 자식의 유무에 따른 장단점을 결과론적으로 나타내는 말일 뿐, 모든 사람에게 적용되는 답은 아니다. 각자의 삶에 맞는 선택을 하고 그 선택에 대해 책임감을 갖고 행복하게 살아가면 되지 않을까?

결혼하고 자녀를 낳는 것이 행복하다는 주장과 자식이 없는 것이 더 행복하다는 주장은 모두 타당하다. 행복은 개인적인 것이며, 어떤 것이 다른 사람에게 행복을 가져다준다고 해서 다른 사람에게도 행복을 가져다주는 것은 아니다.

어떤 사람들은 결혼하고 자녀를 낳는 것이 행복을 가져다준다고 생각하는 반면, 어떤 사람들은 자식이 없는 것이 더 행복하다고 생각한다.

자식이 없어서 (혹은 자기가 낳은 자식들이 있더라도) 양자를 들여서 자기가 낳은 딸, 아들이 주는 행복을 대신할 수 있다는 의견도 있을 수 있다. 이것은 또한 개인적인 선택이며, 어떤 것이 다른 사람에게 행복을 가져다준다고 해서 다른 사람에게도 행복을 가져다주는 것은 아니다.

자식 기른 공(功)은 없다?

자식이 없는 편이 낫다고 생각하는 사람들은, 자식을 애지중지 길러도 소용이 없다고 한다. 흔히 아이들은 성인이 되면 자기 혼자 큰 것처럼 생각하고 부모의 가르침을 받지 않고 자기 멋대로 살고자 한다. 그런 짓도 마음에 안 든다.

잘되라고 했던 매질과 따끔한 충고가 상처받았다고 따지기라도 하면 어쩌나?

육아 과정의 모든 것을 고깝게 생각한다면 심판받아야 하나?

자식 키울 때는 전혀 상상(像想)하지 못한 이미 나이든 구시대(舊時代)(?) 부모의 걱정이다.

다 큰 자식 건강에 대하여 속앓이하는 부모, 먹고 사는 문제를 걱정해줘야 하는 부모, 자식의 부부 사이가 안 좋아 애끓는 부모도 있을 테고, 다른 집 자식들과 비교해서 생활 수준이 뒤떨어진다고 마음 아파하는 부모도 있을 것이다. 열심히 자식 농사에 투자했는데 지인의 자식과 비교해보니 뒤처져서 기분이 상한다. 이런 염려가 무자식 상팔자에 한 표를 던진다.

그렇지만 아이들이 큰 말썽 없이 건강하게 잘 커서 제 나이에 배필 만나 애 낳고 잘 살아주면 자식 있는 것이 행복하니 유자식 상팔자를 지지할 것이다.

그러나 부모의 욕구에 따라 자식에 대한 만족 정도는 차이가 있을 것이고 이에 따라 행복, 불행이 갈릴 수도 있다. '이만하면 됐다'라고 생각할 수 있는 과(過)하지 않은 자기만의 행복 척도를 지니고 있어야 한다.

부모의 희망 사항은 슬하 자식들이 좋은 배필 만나 건강하게 아들딸 낳고 잘 사는 것은 당연하고, 좀 더 살갑게 가까이서 효도를 해주기 바라는 욕심이 있다. 그런 욕심이 실현되지 않을지도 모른다는 짐작이 염려되어 차라리 자식이 없는 편이 낫다고 표현할 수도 있다.

그렇지만 애들은 5살 이전에 부모에게 이미 효도를 다 했다는 말이 있다. 귀여운 재롱으로 즐거움과 기쁨을 주어 낳아준 빚을 다 갚았다는 것이다. 대부분 부모는 육아에 대하여 잘 알지 못하면서 두 사람의 사랑만으로 용감하게 결혼하고 자식 낳고 길렀으니, 그만하면 잘 커줘서 고맙다고 생각하자. 아이들이 있어 쫄깃하게 인생을 살 수 있었고 자식들이 있어 행복했다. 역시 "유자식 상팔자(有子息 上八字)"일까!

때가 되면 알겠지!

사실 나는 지금도 혼자 몰래 효도하지 못한 지난날을 후회하는 일이 너무도 많지만 이미 지난 일들을 어찌하리오! 사람은 누구나 그렇게 죽을 때가 되어서야 철이 드나 보다 하며 자신에게 위로 아닌 위로를 한다. 애들도 우리 나이 되어 부모에게 효도하지 못한 일을 후회하며 철이 들겠지 하며 느긋하게 관용을 베풀자.

결국, 가장 중요한 사실은 개개인이 자신을 행복하게 하기도 하고 불행한 사람으로 만들기도 한다는 것이다. 오랜 세월 살아오면서 무엇이 행복이라 느꼈는가? 그 탐욕, 그 불만 모두 부질없는 욕심들 아니던가? 비록 넉넉지 못하고 잘

나지 못했다 해도 만족함을 알아야 한다.

누구의 아들, 딸이 출세하고, 효도한다고 남들이 부러워한다. 그런 부모라도 이날이 있기까지 노심초사하며 자식을 키웠고 지금도 자식을 향(向)한 부모의 마음은 변함이 없을 것이다.

자식이 없으면 생활의 무미건조함은 물론 노후에 대한 불안함이 말끔히 씻어지지 않는다고 한다. 모든 생물(生物)은 지속적 생존을 위하여 번식하며 살아가야 한다. 그것이 자연의 원리이다.

국가의 정책적인 문제가 있다면 제도적으로 해결하면 될 것이다. 그러나 남아 있는 많은 문제는 젊은이들의 현재를 즐기고 싶은 마음과 육아의 지레 짐작되는 걱정이라고 생각한다. 정부의 정책만으로 출산율을 높일 수는 없다. 생(生)의 주기(週期)가 길어졌다. 여유를 갖고 삶의 계획을 짜면 좋겠다.

무심히 흐르는 흰구름을 보고 어떤 모양으로 보는지는 사람마다 다르게 마련이다. 생각에 따라서 애인 얼굴을 떠올리기도 하고 어떤 이는 꽃 같다고 말한다. 같은 구름을 보면서 달리 보이는 것은 서로의 생각이 다르기 때문이다.

우리의 가정도 그러하리라! "Family "의

어원은 Father And Mother I Love You
(아버지·어머니 나는 당신들을
사랑합니다.)라고 한다.

부모와 자식, 즉 가족이 있어 비로소
형성되는 것이 가정이라고 옛부터 생각했던
것 같다.

돈으로 집을 살 수 있어도, 가정은 살 수
없다. 자녀의 웃음소리와 사랑이 넘치는
가정을 그려 본다.

나를 위한 제사(祭祀)

명절이 되면 며느리들 잡는다고 떠들썩하다. 온 가족이 음식을 장만하는 것은 좋지만 여성들의 몫이 많아 혹사하기 때문이다. 요즘 세월이 좋아져서 모든 음식을 구매해서 조달할 수가 있지만 그래도 가족이 모여 만들어 먹는 것이 가족 화목에도 도움이 된다고 윗대들은 믿고 있다.

세월이 지나고 나면 당시 힘들었던 일 자체가 잊지 못할 아름다운 추억으로 남아 있는 것은 틀림이 없지만 담당하는 사람은 지금을 감내하기 어렵다고나 할까.

우리 집도 조촐하지만, 명절이 되면 두세 가지 떡과 몇 종류 부침개를 비롯해 지지고 볶는 음식 냄새가 진동하곤 했다. 어린 나도 송편을 빚는다든지 부침개를 만드는 일을 거들었던 기억이 있다.

사실은 음식을 만드는 과정에서 엄마가 집어주는 한 두 점이 맛있었던 기억이 생생하다. 음식이 다 되어 함상 가득 차려졌을 때는 지치고 냄새를 너무 맡아서 맛의 정도가 반감(半減)됐다. 엄마는 아마도 더 그랬을 거다.

결혼 후, 그런 생각을 지울 수 없어 만드는 음식 가짓수를 줄여 형식적으로 명절을 쇠기로 집사람에게 당부한다. 그래도 며느리의 자존심 같은 것이 있는지 이것저것 준비를 한다. 그리곤 얼마 동안은 힘들어한다. 피곤하다는 말을 달고 산다.

어머니가 돌아가시고 나서는 제사를 지내기로 했다. 기독교 집안이라 제사는 원래 지내지 않았다. 집사람이 어머니를 위해서 제사를 지내자고 해서 그리하기로 했다. 어머니에게 각별하게 사랑을 받았던 집사람이 시어머니에게 보답하기 위하여 택한 것이다.

우리 가족은 일주일에 한 번 초동에 있는 영락교회에 나가서 일가친척을 다 만나고 안부도 듣곤 했다. 영락교회는 고(故)한경직 목사님이 북한 신의주에서 설립했고 그후 서울에서 다시 태어난 교회이다. 큰아버지는 이북에서부터 한(韓)목사님을 알고 있던 터라 영락교회는 우리 일가에게는 고향 같은 곳이다.

어머니 제사 시작

어머니는 큰어머니와의 갈등 이후로

교회에 나가지 않았다. 그런 영향을 받아서인지 집사람과 사촌 형수와도 사이가 안 좋아지는 일들이 겹치곤 했다. 그러더니 집사람도 교회에 나가지 않았고 더욱더 시어머니 제사에 정성을 다했다.

제사에는 형식이 있고, 그 위에 생전에 고인(故人)이 무슨 음식을 좋아했는지도 추가한다. 그리곤 자녀들의 동참을 통하여 조상숭배(묵시적으로 나를 포함)의 귀중함을 몸소 실천해 보여주고 싶은 것이다.

좋은 음식을 많이 차려 놓을수록 살아 생전에 못한 불효의 죗값을 탕감받을 수 있는 것은 아닐 텐데 말이다.

어머니 묘소는 양평의 공원묘원에 모셨다. 아버님도 함께 모실 수 있도록 마련했다. 묫자리는 앞이 확트인 소위 배산임수(背山臨水)의 그럴듯한 곳을 택했다. 당시 조성된 지 얼마 안 되서 묘역마다 자동차 도로가 잘 조성이 되어있지 않았다.

곧 좋아지리라는 믿음으로 수년을 열심히 성묘하러 다녔다. 그러나 어머니와 헤어진 세월이 길어질수록 성묘의 열의가 식어서 찾는 횟수가 줄었다. 나도 그렇고 셋 있는 동생들도 마찬가지다.

떠난 조상을 대하는 진실에는 지금을 살고 있는 나를 위한 것이 전부라고 해도 과언이 아닐 것이다. 대통령이 되기 위해서, 나의 출세를 위해서, 조상의 묘를 이장(移葬)한다는 얘기는 한 두 번 들은 것도 아니다.

사랑하는 자식이 몹쓸 병에 걸려서 파묘(破墓)를 하기도 하고 묘지에서 조상신(祖上神)에게 굿판을 푸짐하게 벌려 달래기도 한단다.

그렇게 이장을 하고 굿을 빌어 귀신을 위로하면 소원대로 이루어질까? 우리의 잘못 인식된 오랜 생활관습에서 오는 미련(未練)이고 '안 하는 것보다는 낫다'라는 서글픈 위안일 것이다.

사랑하는 이의 기억 속으로

그런대로 건강하시던 아버지가 자리에 누워 계시는 동안 이별을 생각하기 시작했다. 어머님이 계신 공원묘지로 함께 모셔야 할지에 대한 고민이다.

나도 어머니를 열심히 찾아보지를 못했는데 아들, 딸이 제때 할아버지, 할머니의 성묘를 할 수 있을지도

걱정이다. 거기다가 부모님 모신
공원묘지도 만원이라서 부모님 묘역 가까운
곳에 나와 집사람이 묻힐 수 있다는
보장이 없으니 필시(必是) 다른 곳이라면
애들에게 큰 부담이다.

나와 집사람은 '우리가 죽으면'을 여러 번
얘기해서 얻은 결론은 화장(火葬)하는 것이
좋겠다고 생각했다. 작은 국토(國土)를
걱정하는 애국적인 생각보다는 어차피
흙으로 돌아가는데 자식들에게 부담을 주지
않는 것이 좋겠다고 생각해서이다.

연명치료 거부 신청도 완료했다. 그래서
아버지가 돌아가시면 화장하고 어머니도
이장하여 아버지 모신 곳으로 옮기기로
했다. 아버님은 2015년에 교우(敎友)와
형님이 계신 영락공원묘원 수목원으로
가셨다.

수목원이 생긴 지는 얼마 안 되서 넓은
묘원에는 일반 묘지가 대부분이다. 그곳에
드나들면서 넓은 묘역에 비석도 멋지게
세워 놓은 곳을 보면서 '죽어서도 빈부의
차(差)' 같은 것을 느끼기도 하는 것은
사실이지만 이 또한 일시적인 착각임을 잘
안다. 그 유혹을 이기지 못하면 좋은
못자리라면 남의 묘라도 뺏고자 하는
우매한 욕심이 생기지나 않을까, 웃프다.

나는 묘비명을 어떻게 쓸 수 있을까?

흔쾌히 '잘 놀다 갑니다'라고 새겨 넣을 수 있을까?

아니면, 버나드 쇼처럼 '우물쭈물하다 내 이럴 줄 알았다'라고 묘비명을 남길 것인가?

아직 정하지 못했다.
아니, 정해서 무엇하랴! 자연장(自然葬)으로 하기로 했으니 무슨 군더더기 말씀이 필요하랴!

위대한 삼식이

웃픈 예기지만 '삼식(三食)이'라는 말은 유행을 지나 사전에도 나올만한 단어가 되었다. 하루 세 번 꼬박 집에서 부인이 차려주는 밥을 먹는 백수를 일컫는 말이 아닌가! 한국의 일반적 가정 풍경은 남편은 밖에서 일하고, 집은 출퇴근하며 잠자는 곳이다. 한편 부인은 집에서 살림하면서 가정을 지키는 것이 일반적이다.

그런 일상이 장기간 지속되면 남편은 집에 하루 종일 있는 것이 어울리지 않는 일인 양 착각하기도 하고, 익숙하지 않은 일이기도 하다. 부인도 하루 이틀 남편과 같이 집에 있으면 달콤한 시간일 수 있겠지만 허구한 날 집에 있는 남편은 어딘가 불편하기 마련이다.

삼식이의 통상적인 의미는 바람기, 도박, 폭행, 인격적인 장애를 가진 남자가 집에서 오로지 집밥만 고집하고 삼시 세끼 집밥을 먹는 사람을 일컬어 삼식이라고 불렀다.

이런 사람들은 가부장적이고 독단적으로 자기주장을 내세워서 화목한 가정을 이루기는 어려운 남편이다. 그러나, 여기서 일컫는 삼식이는 이런 불량한 사람이 아니고 너무도 선량하고 순진한 사람들이다.

삼식이도 여러 종류가 있다. 엄마가 차려주는 밥상만 받던 버릇이 남아 무조건 부인이 차려주는 음식만 먹어주는 전형적인 구시대적 삼식이가 있는가 하면, 점심 한 끼 정도는 배달 음식을 시켜 먹거나 스스로 부인이 해놓은 음식을 찾아 먹는 비교적 순한 삼식이도 있다. 그러나 요즘 회자(膾炙)되고 있는 삼식이는 고령화 사회에서 피할 수 없는 사회적 현상의 하나이기도 하다.

나이 탓에 직장에서 밀려나서 갈 곳을 잃은 기러기 모양 집 근처에서 맴돌 수밖에 없는 신세인 소위 '노인'이 많다. 누구는 이런 어쩔 수 없이 떠도는 노인을 코믹하게 분류하고 있다.

백수는 동양적 의미로는 한량이고, 서양말로는 프리랜서이다. 아무것도 하지 않는 무기력한 좀비는 아니다. 어떤 사람은 타인에게 전적으로 생계를 유지하는 악성 백수이고, 최소한 자기 삶의 필요한 의식주는 스스로 해결하는 생존형 백수로 분류하고 있다.

또, 세 가지로 분류하는 백수 등급도 있다. '화백'은 화려한 백수의 준말로 퇴직

후 3개월은 저녁 식사 일정으로 꽉 찬 백수다. 중간 등급 '불백'은 불쌍한 백수로 친구와 약속이 줄어들기 시작하면서 휴대전화마저 끊기는 백수다. 최하위 등급 '마포불백'은 마누라까지 포기한 불쌍한 백수란다.

화려한 백수의 일상

내가 알려주고자 하는 백수는 화려한 백수이다. 일상 속에서 자신의 자존감을 높이며 미래에 대한 희망을 자신의 삶 속에서 실현하고자 노력하는 사람들이다. 그런 화백들은 너무도 바쁘다.

한 실례를 들면, 교수를 정년 퇴임한 친구는 아침에 무작정 지하철로 출근한다. 매일 다른 노선의 이쪽저쪽 종점까지 간다. 중간에 끌리는 곳이 있으면 내려서 경치를 감상도 하고 구경거리가 있으면 보기도 하고 배가 고프면 점심도 먹는다.

지하철을 그냥 타고만 가는 것은 너무도 비생산적이고 무미건조하다. 때문에 휴대폰 메모장에 지하철 안의 풍경 등을 쓴다고 한다. 그러다가 가끔은 글로만 표현하기에는 너무도 한심한 짓거리를 발견하게 되면 직접 나서서 정리 정돈도 한다고 한다.

예로, 노인이나 임신부에게 자리를 양보하지 않는 젊은이 훈육하기, 큰 목소리로 떠드는 사람들도 가르침의 대상이 된다. 그러다 보면 가끔은 시비가 붙기도 하고, 주민증을 까 보여야 하는 불상사도 있다고 한다. 그 친구는 그렇게 시간은 보내는 것이 너무도 즐겁고 유익하다고 한다. 그가 써놓은 지하철의 풍경은 수백 페이지에 달한다고 자랑이다.

틈만 나면 산으로 가는 친구도 있다. 하산(下山)하고 소주 한잔하는 맛으로 등산한다고 한다. 그런 같은 취미를 가진 친구 중에 하나둘 세상을 작별하는 바람에 등산은 줄이고 서울 시내와 가까운 근교의 사적지를 돌아본다고 한다.

새롭게 역사를 알게 되는 재미가 쏠쏠하단다. 그렇게 찾게 되는 곳마다 역사를 음미하며 사진도 보내주니 고마운 일이다. 이들은 살짝 삼식이 굴레에서 벗어난 자(者)들이다.

집에서 그림을 그리거나, 수필 등 글을 쓰는 사람도 집에서 하루 종일 죽치고 앉아 밥을 축내고 있다면, 그들도 역시 삼식이 범주에 속한다. 일주일에 몇 시간

수업이　없는　교수도　넓은　의미의
삼식이다.

부인과　함께　기(氣)　살리기

　허구한　날　밥을　챙겨주는　부인의　마음이
신혼　시절과　같을　수는　없다.　가끔은
부인의　호흡에　맞춰줘야　하는데　남정네들은
그게　서툴다.　하루　이틀도　아니고,　삼식이
식단을　신경　쓰며　같이　사는　부인들의
심정이　이해가　간다.

　오죽하면　40대와　50대　아내들이　최고의
남편이　집안일　잘　도와주는　남자,　육아에
협조하는　남편보다는　집에서　밥　안　먹는
남자라고　했겠나?　아내도　가끔은　남이
해주는　밥을　먹고　싶어　한다.

　친하게　지내는　대학　동창은　부인이　오랜
세월　홀로된　시어머니를　모시고　살았다.
10여　년　전에　시어머니가　돌아가시고
그야말로　진정한　독립을　하게　된　며느리는
성당의　봉사활동　등　할　일이　많아　집에
붙어　있을　시간이　없다고　한다.

　친구　또한　자유롭게　친구도　만나고
널널한　시간을　잘　활용하고　있다.
역(易)으로　부인이　적당히　밖에서　할　일이

있으면 남편은 당당하고 위대한(?) 삼식이가 될 수도 있다.

영국의 시인 제니 조지프 Jenny Joseph의 '경고 Warning'란 시(詩)의 한 소절을 소개한다. 첫 구절은 이렇게 시작한다.

'내가 할머니가 되면 보라색 옷을 입고, When I am an old woman I shall wear purple,
어울리지도 않는 빨간 모자를 써야지' With a red hat which doesn't go, and doesn't suit me.

시인은 구절마다 그동안 절제한 것을 일일이 나열하고 있다.

'그리고 내가 젊은 시절에 절제한 것에 대해 보상받을 거예요. And make up for the sobriety of my youth.

지금 사회적 규범 때문에 하지 못하는 것들을 유머러스하게 표현하면서 많은 걸 시사하고 있다. 영국도 우리처럼 질서와 원칙을 지키며 모범적으로 살라고 가르치는 모양이다. 그래서 때로는 너무 답답해서 자유스러운 일탈을 꿈꾸기도 한다. 시(詩),

'경고 Warning'의 주제이다.

늙은이의 행복 공식(公式)은 많다. 결론은 늙어서도 보람차고 즐겁게 살아야 인생이 행복하다는 것이다. 노년기에 어떻게 살아야 행복할 수 있을까, 하는 것이 어려운 문제이고 큰 숙제이다. 누구는 흔히 노후를 잘 보내려면 돈, 친구, 건강이 있어야 된다고 한다. 그러나 혼자 잘 놀 줄 알면 이보다 더 든든한 노후대책은 없다.

동네 산책, 기차 여행하기, 혼자 영화 보기 등등 삶의 다양한 즐거움을 다시 시작하여 삶의 외로움을 털어내야 한다. 나 자신을 가장 좋은 친구로 만들어 혼자 시간을 잘 보낼 줄 알면 이보다 더 좋은 것은 없다.

혼자 잘 놀기 위해서는 평소에 부부가 적당한 거리를 두고 사는 방법을 연습해야 한다. 사람은 서로가 상대를 연민하는 시간과 거리를 갖는 것이 상대에 대한 사랑이 더 커지는 기회라고 생각한다.

세계 3대 악처로서 소크라테스의 아내 "크산티페", 아마데우스 모차르트의 아내 "콘스탄트", 문호 톨스토이의 아내 "소피아"가 있다. 나폴레옹의 아내 "조세핀"을 "소피아"보다 더 악처로 포함하는 사람도 있다. 순전한 나의 생각이지만 이들이 부인과 타협하면서 사이좋게 지내려고 노력했다면 위대한 업적을 남기지 못했을 것이다.

부인이 악처라고 생각한다면 여건은 충족이 되었는데 내가 부족해서 위대한 인간이 되지 못했음을 인정하고 부인에게 더 잘해야 한다. 같은 삼식이라도 즐겁고 당당한 삼식이가 되도록 노력하자.

더구나 우리의 든든한 주변 인연도 결국은 하나둘 멀리 떨어져 가거나, 영원한 이별을 고(告)하기 때문이기도 하다.

우연과 의도 사이

중국 광동성 센젠시 (深圳市)에 소재하고 있는 센젠대학에서 석사과정을 공부할 때, 동기 (同期)들이 결혼 적령기의 친구들이라 허심탄회하게 연애, 결혼에 대하여 이런저런 얘기를 나눌 기회가 많았다. 한국 젊은이에 비 (比)하여 조금은 다른 점이 몇 가지를 열거해 보자.

서양 사람들은 새가 기뻐서 노래를 부른다고 하고 한국 사람들은 새가 운다고 한다. 민족마다 나라마다 동물 울음소리를 흉내 내는 소리도 각각 다르고 그 소리가 무엇을 뜻하는지도 생각이 다르다.

그러나 조류학자 앤드류베이커는 새는 노래하지도 울지도 않는다고 한다. 새는 자기의 위치를 알리기 위해서 짝을 찾기 위해서 그리고 건강을 위해서 소리를 낸다고 한다. 그러니 중국 젊은이가 보는 한국 여성에 대한 견해도 나 나름의 생각일 뿐이다.

그 첫째는, 혼전동거 (婚前同居)에 대하여 거부감이 우리나라에 비하여 적다. 교제하며 상대를 파악하고 신중하게 함께 지내는 경험까지 하는 것이라고 생각이 들

정도이다. 남자 친구라고 소개받고 식사를 같이한 적 있는데 집에 놀러 가보니 한 침대를 쓰고 있는 사이였다. 묻지도 않았는데 TV는 남자 친구 거고, 냉장고는 자기가 샀다고 한다. 가구도 모두 이름표가 붙어 있는 것 같은 느낌이다. 침대는 남자 친구가 쓰던 것이고 찬장은 자기가 쓰던 것이라는 식의 설명이다. (이 친구는 몇 년 후에 다른 남자와 결혼했다)

두 번째는, 결혼식이다. 결혼도 절차가 매우 간단하다. 결혼 등록 부서에 가서 신고하고 결혼 증명서를 받아오면 법적인 부부인 것이다. 결혼 등록 절차를 끝낸 후에 간단한 다과회를 열어 연애담을 듣고 노래와 춤으로 흥을 돋우는 식으로 진행한다. 더 간단하게는 결혼 사탕(喜糖)을 돌리는 것으로 끝내기도 한다. 또는 집이나 식당에서 결혼 잔치를 벌이기도 하는데, 이 자리에서 신랑과 신부는 하객들에게 결혼 술(喜酒)을 따르고 결혼 담배(喜煙)를 권한다.

석사과정 여자 동기생의 결혼 축하연에 초대받았다. 모범 서민의 평범한 결혼 피로연이다. 식당에서 친구들을 불러서 함께 식사하며 축하했다. 한국에서처럼 축의금을 전달했고, 신부는 결혼증명서를 자랑스럽게 보여줬다. 그런데 그날 신랑은 모습을 보이지 않았다. 회사의 일로 참석하지 못했다는 신부의 변명을 들었다.

동기생들은 취업 전(前)이기도 하고 부유한 집의 자녀들이 아니라서 중국의 일반적 결혼식의 풍경은 아니다.

물론 중국도 서양식 결혼예식으로 변화하는 과정이다. 그러나 아직도 신식이든 전통결혼식이든 사회적 지위를 과시하거나 체면을 내세우는 면이 강하다.

그 때문에 과대 혼수가 사회문제로 부각되고, 피로연에 들어가는 엄청난 금액이 사회적인 비난의 대상이 되기도 하는 것은 우리나라와 별반 다르지 않다.

세 번째는, (내 생각으로) 중국은 여성 우위의 사회가 아닌가 싶다. 공산당은 학교에서나 사회에서도 집단생활을 통하여 자아비판 등 토론 문화가 발달한 것으로 보인다. 일반적인 설명도 첫째, 둘째, 셋째 등 조목조목 논리정연하게 설명하는 것을 흔히 목격한다.

중공(中共)은 노동자를 확보하기 위해서 남녀평등이라는 슬로건을 내걸고 여성을 사회의 일꾼으로 내몰았다. 그래서 여성 교육 수준도 높아졌고 사회적 지위도 높아졌다. 따라서 자연적으로 여성이

기(氣)가   세어진   사회로   변화한   것은
아닐까?

한국 여성이 무섭다?

석사과정을   마치고   산동외사번역대학
에서 한국어를 몇 년 가르쳤다. 한국에서
공부를 계속하거나 취직하여 일하고 있는
제자들을   가끔   만나   얘기를   들으면
재미있다.

여자들은 한국 남자 좋다고 하는 편인데,
남자들은   한국   여자가   드세서   싫다고
한다. 일반적으로   한국   여성은   너무도
이기주의이고   잘난 체를   많이   한다고
한다. 자기가 제일 예쁘고 가장 잘   나가는
사람으로   착각하고   사는   것   같다는
것이다.

그리고 딱 한 가지 받아드릴 수 없는
것이 재산 문제라고 털어놓는다. 회사에서
월급을 현금으로 받던 세대는 움츠리고 뛸
수가   있었다.   그러나   요즘은   통장으로
들어오는 월급이라 감출 수도, 속일 수도
없다. 그 월급 안의 내 재산은 아내에게
받아 쓰는 용돈이 전부인 젊은 세대가
많다. 그래서 그들은 한국 여자가 무섭다고

한다.

내가 생각해도 한국은 여성 우위의 세상임에 틀림이 없어 보인다. TV 프로그램은 온통 남편을 사고뭉치 바보로, 혹은 철부지 아들로 표현하는 일을 다반사로 볼 수 있다. 그런 프로그램에 고정 출연하다가 이혼한 부부도 있다고 들었다. 남편으로서는 재미로 보는 방송 프로에서 여자들의 좋은 웃음감으로 등장하는 것이 기분 좋을 리 없을 것이다.

이런 대화의 내용에 대해 이의를 제기하는 남자는 없다. 그랬다가는 박살 날 분위기인 것을 남자들은 너무도 잘 알기 때문이다. 언제부터인가 한국은 그렇게 되어있다. 한국에 취업 온 중국 청년들도 이런 분위기를 이미 간파하고 있는 것은 아닐까?

이런 사회적 분위기에 편승하여 젊은 새댁 중에서 음식을 차리고 육아하는 것이 여성의 몫이라고 생각하는 사람이 점점 적어지는 것 같다. 일본은 우리와 거의 흡사하다. 그러나 중국은 전통적으로 식사 준비를 오히려 남자가 하는 가정이 더 많은 느낌이다.

요리는 남자가 더 잘한다는 믿음의 전통이 있는 것은 아닐까. 중국 여성 중에 중국요리 전문가는 본 적 없다. 그런 중국의 현실을 비교하면 한국 여성이 좀 더 여성스럽고 자상하며 모성애가 강한데 그놈의 분별없는 매스컴 때문에 한국 여성들이 잠시 휩쓸려 놀아나고 있는 것이면 좋겠다.

나이가 성숙을 보장하지는 않는다.
Age is no guarantee of maturity.
HanSu

IT 시대와 육아

 점심 시간대인데 거리의 한 커피숍에 유모차 부대가 자리를 차지하고 앉는다. 점심 식사하고 커피 한잔하는데 특이할 것도 없지만 세상이 변했다고 느끼는 것은 나이 탓이리라.

 네다섯 살 난 아이를 데리고 와서 아이는 주스를 마시고 엄마는 스마트폰을 보며, 커피 향에 흠뻑 취해 있는 듯하다. 아이가 칭얼대기라도 하면 케이크를 갖다주고 또 스마트폰에 빠진다. 직장 다닐 때 다 해본 것이고, 지금 주부라고 누리지 못할 일은 없을 것이다. 직장에 다니는 사람만 식사하고 커피 마시라는 법은 없을 것이다. 이상하게 보는 내가 이상한 것이다.

 그러면 붐비는 점심시간 대는 피해서 직장인에게 양보하면 어떨까도 생각해 보지만 주부도 노는 것이 아닌데 꼭 직장인에게 점심 시간대를 양보해야 하는가, 생각도 해 본다. 마침 옆자리의 그 젊은 아줌마가 누구와 통화를 한다.

 점심밥을 매일 집에서 먹기가 지겹고, 밥 먹고 졸고 있느니 바람도 쐴 겸 딸을 데리고 나와 커피 한 잔 마시고 있다고 하며 이번에는 통화가 길어질 태세이다. 나만 흔히 목격하는지 모르겠지만 우리 여성들의 목소리는 예의를 벗어날 정도로 큰 편이다. 그들의 목소리가 귀에 생생하다.

이러니저러니 해도 스마트폰이 많은 한국 사람을 구제해 준 듯하다. 어디를 가든 스마트폰에 접착제를 발라 놓은 것 같은 사람들의 모습을 한국적인 시대 현상이라고 해석해야 하나?

스마트폰을 자주 바꾸다 보니 아기들에게도 헌 스마트폰을 들려줄 기회가 많아졌나? 어른들이 자기 일을 보는 사이에 아이에게 재미있는 만화를 보도록 하니 조용하게 잘 놀아주어 아빠, 엄마 좋고 아기도 좋다. 이런 현상이 아기들에게 시대에 잘 적응해 가도록 도와주는 것인지, 창의력을 감소시키는 잘못된 교육인지, 답이 묘연하다.

스마트폰의 작은 화면에서 끊임없이 장면이 변하기 때문에 눈이 굉장히 피곤하게 된다. 영유아의 시력에 악영향을 미치게 된다. 스마트폰에는 미세먼지보다 더 작은 초미세먼지가 몸속 깊숙이 침투하여 발암의 원인이 된다고 한다.

아기를 달래기 위하여 스마트폰을 이용할 경우 아이들이 좋아하는 애니메이션 등을 쉽게 접할 수 있다. 하지만 스마트폰으로 아이들을 달래고, 놀아주는 것이 좋은 방법일까?

아기가 6~7개월 정도가 되면 눈앞에 보이는 물체에 관심을 가지기 시작하고 특히 엄마 손에 들린 물건에 관심을 가지니 엄마 핸드폰에도 관심을 보이게 된다.

아기 핸드폰은 안전과 기능 모두 챙긴 아기 핸드폰을 선택하는 것이 필수이다. 아기를 달래기 위해서 어른이 사용하는 스마트폰을 무심코 넘겨주는 것은 위험한 일이다. 우선은 어른들이 편해야 하니 볼거리, 놀거리를 들려주는 것은 아닌지 우려된다.

모바일 시대에 당당하게 맞서려면

매일 사용하고 있는 스마트폰 사용 방법을 숙지할 필요가 있다고 새삼 실감했다. 증권회사에 갔더니 기다리는 사람이 엄청 많다. 증권으로 대박 터트리려고 모인 사람이 이렇게나 많은가 생각했다. 이 회사는 지점은 없고 오로지 본사에서만 모든 업무를 처리한다고 한다. 그래서 더 사람이 많은가 보다.

증권 계좌를 개설하기 위해서 개인의 경우는 핸드폰으로 할 수 있지만, 법인의 경우는 직접 방문해서 개설해야 한다. 컴퓨터나 스마트폰으로 주식의 매입, 매도가 가능하니까 지점이 필요 없는 것이다.

창구에서 상담을 기다리고 있는 사람들은 모바일 앱의 설치를 도움받기 위해서인데, 그중에는 직원의 도움으로 앱은 설치했지만 조작에 문제가 있어 묻고 또 묻고 있는 사람들도 꽤나 있었다. 남의 일이 아니다.

이제 은행도 그런 추세로 가고 있다. 통장이 없는 은행도 있다. 입출금은 은행 카드로 하고 기타 업무는 스마트폰에 설치한 은행 앱으로 (스마트폰 조작이

익숙한 사람들은) 편리하게 처리한다. 조작이 잘 안되면 은행 창구에서 번호표 뽑고 기다렸다가 물어봐야 하니까 시간 낭비에 짜증까지 나는 일이다.

통장이 없으면 내 돈의 흐름이 불안한 사람은 구시대 사람이 되었다. 우리가 지금 있는 자리에 그대로 서 있으면 그런 사람이 되는 것이다.

IT 기술이 진화 중이기 때문에 스마트폰 메이커의 서비스 센터나 젊은이들에게 물어보고 배워도 창피한 일은 아니다. (현실은 4차 산업혁명이 진행 중이니 아마도 죽을 때까지 배워야 하겠지만)

더욱 좋은 방법은 유튜브에 들어가 찾아보면 친절하게도 스마트폰, 컴퓨터 다루는 방법을 알려주는 채널이 널리고 널려 있다. 머무르지 말고 스스로 찾아 배우며 시대 흐름에 보조를 맞춰나가야 하겠다.

식당에서 대기하는 것도 메모지에 적고 기다리거나, 대기표를 받는 곳은 이제 거의 없다. 식단 주문도 큰 소리로 '이모',나 '사장'을 불러 의기양양하게 주문하던 시대는 지나갔다.

70년도 중반에 일본에 주재하고 있을 때이다. 서서 먹는 철길 밑의 조그만

우동집에서도 키오스크 kiosk로 메뉴를 주문한다. 입력하고 돈을 지불한 후에 음식 이름이 인쇄된 일본의 전철 티켓 같이 생긴 조그만 종이카드(?)를 창구에 내고 음식을 기다린다. 음식을 받아먹으며 선진국 일본을 실감하곤 했다.

그러던 일본은 아직도 그 자리에 머물러 있다. 그런데 인터넷 강국 대한민국은 어떤가! 우리는 일상의 모든 것이 인터넷을 이해하고 이용하지 못하면 살기 어려운 환경으로 변해가고 있다.

전화 걸고, 받고, 카카오톡 쓰기 정도에 만족하고 더 알기를 스스로 거부하면 스마트폰으로 돈을 받고도 찾아 쓸 수 없는 노인으로 살아가는 문명사회의 외계인이 될지도 모른다.

한 친구가 막내 결혼 축의금을 스마트폰으로 받았는데 현찰을 찾을 수가 없어서 독식하려 했지만, 애들에게 실토하고 돌려주었다고 한다. 모르면 굴러 들어온 떡도 먹지 못한다.

체면불구 하고 한번 들어 모르면 두 번, 세 번이라도 물어보며 문명인이 되어야 하는 시대에 살고 있다.

10년 전의 스마트폰이라도 지금 쓰기에 아무런 지장이 없다. 그런데도 우리는 이미 두세 번 새 스마트폰으로 바꿨다. 핸드폰을 스마트폰으로 바꾼 것이다.

전과 같이 새로운 기능을 모르고 사용하면 비싼 스마트폰을 핸드폰으로 사용하고 있다고나 할까!

모바일 시대에 당당하게 맞서자!

인생의 마지막

지인은 아버지를 여의고 이런 글을 남겼다.
"무던히도 자식들에게 짐이 되지 않으려 애쓰시던 아버지,
끝까지 흐트러지지 않으시고 위엄을 보이시며 떠나신 아버지,
나도 아버지처럼 그렇게 단아하게 멋지게 살다 가고
싶습니다. 그리고 나를 부족함 없이 이렇게 잘 키워 주셔서
고마워요. 최고의 멋진 아버지셔요. 천국에서 만나요."

인생을 희극처럼 살고 싶다.
누구와도 유머 있게 풍요롭게 대하고, 가르치는 것도
풍자하듯이 자연스럽게 알릴 수는 없을까.
나와의 관계에 있는 인물이 어떤 상황에 처해 있을 때
의식적이 아니더라도 그 친구에게 도움이 되었으면 좋겠다.

그렇게 살면
나도, 그들도 모두 연민(憐愍)의 정을 갖고 살지 않을까.
나도 소크라테스처럼 당당하게, 그리고 지인의 아버지처럼
죽어서도 아이들에게 최고의 멋진 아버지이면 좋겠다.

정겨움과 서글픔의 사이

어미는 두렵다

어미는 웃었다
손수 만든 음식 자식이 맛있게 먹으니
이른 잠 설치며 준비한 보람을 찾았을 거다

어미는 웃는다
다 큰 자식들의 듬직한 모습을 보며
눈물 감추고 뒷바라지한 보람을 찾았을 거다

어미는 슬프다
자식이 좋아하는 배필 만나 잘 사니 좋지만
남처럼 팔짱끼고 늘 함께하고 싶은 마음을 모를 거다

어미는 두렵다
영원히 애들이 서로 배려하며 사랑하기 바라지만
쥐꼬리만큼 남겨질 재산이 애들의 눈물이 될까 두렵다

아버지의 기억

나와 아버지는 닮은 구석이 한 군데도 없다. 아버지는 키가 작은 편이고 몸집도 날씬하여 평생 배가 나온 모습을 본적이 없다. 노래하기 좋아했고 술도 언제든 사양하는 법이 없었다. 반주로 소주 한 병 정도이니 그 주량을 알만하지 않은가! 아들인 나는 체격도 키도 옛날 기준으로 보면 보통 이상이고 술은 전혀 하지 못하는 모태 금주론자(?)이다.

아버지를 닮았으면 하는 것은 주량(酒量)일 뿐이었다. 군대에서 고참 병장으로서 졸자(卒者)들에게 우쭐하는 기분으로 막걸리를 큰 냉면 그릇으로 연거푸 두 그릇을 마시고 화장실에 갔는데 깨어보니 병실이었던 씁쓸한 기억도 있다.

직장 생활을 하면서 괴로웠던 기억도 술과 관련된 것이었다. 그때는 부서별로 회식이 많았고 대학교 선배들이 후배 사랑의 표현으로 술자리도 자주 있었다. 그때마다 술을 권유하고 술잔 비우기를 모두가 지켜보는 분위기가 많았다.

'술 못한다', '술이 선천적으로 받지 않는다', '아버지가 술을 많이 마셔서 어릴

적에 어머니가 한약을 먹여 체질이
바뀌어서 술을 마시지 못한다' 등등
변명하기에 급급하지만 결국은 한두 잔은
마시지 않을 수 없었다. 그 정도로도
얼굴이 빨개지고 심장이 벌렁거리는
괴로웠던 기억이 아직도 생생하다.

당시에는 영업 상담을 시작할 때면 으레
술집으로 불러내어 대화의 물꼬가 트기
마련이다. 그때 상대방 대부분이
두주불사(斗酒不辭)하는 사람이 많았던
것으로 기억한다.

내가 술을 마시지 못하니까 모두가
대단한 술꾼으로 보였을지도 모르지만, 술
좋아하는 사람이 많았던 것은 틀림이 없을
듯하다.

당시 술집에는 술 시중을 드는 여성들이
있어서 옆에 앉아 술도 따라주고 자기도
한 잔씩 마시면서 시중을 들었다. 나는
잔꾀를 부려서 주당들을 주량으로 이기는
방법을 고안해 냈다.

단골 술집의 아가씨와 미리 약속해서
나에게 따라주는 양주는 색이 같은
보리차였다. 첫 잔은 맥주로 하고
다음부터는 독한 양주로 마시자고 하여
나는 보리차를 계속 마시고 있는 거다.
아무리 술꾼이라도 누가 당할 수가

있겠는가!

아버지는 지금의 내 나이 정도 되어서도 술은 마다하지 않으셨다. 그래도 100세까지는 못 채우셨지만 비교적 건강하게 장수하셨다.

아버지도 그랬겠지!

어쩌면 건강의 나침반은 이미 인체 내에 장착되어 있는 것은 아닐까, 생각해 보기도 한다. 이제 내 나이 팔순이 되어서야 비로서 아버지의 과거 건강 상황을 되짚어 본다.

내가 세월이 왜 이렇게 빠르냐고 느끼는 것처럼 아버지도 그랬겠지! 아버지처럼 머리숱이 적어지고 백발이 늘어가고 턱밑의 주름이 깊어 간다. 손등의 정맥이 튀어나오고 허벅지는 가늘어지고 움직일 때마다 주름지고 여기저기 검버섯이 생기고 탄력 잃은 피부는 하얀 가루가 되어 힘없이 떨어진다. 아버지도 그랬다.

나는 임플란트 implant를 다섯 개나 했는데 아버지는 임플란트가 아니고 틀니를 했었다. 당시에는 임플란트 시술이 흔히 시행되지 않았다. 나는 아버지 치아가 고장 나는 과정은 몰랐고, 틀니를 교정하려고 아버지를 모시고 치과에 몇 번 갔던 기억만 있다. 틀니를 하기 전에 좋은 방법을 찾는 관심이 부족했음이 뒤늦게 마음 아프다.

요즘 긴긴밤 잠 못 이루는 날이 많아지고, 이런저런 하지 않아도 되는 쓸모없는 걱정도 많고 자식들한테 물어보고 싶은 것도 많지만 노인의 미덕으로 입 다물고 있다. 아버지도 그랬을 거다.

요즘 집사람과 함께 외식을 하려고 하면 무엇을 먹을지 정하기가 쉽지 않다. 말은 '아무거나'라고 하지만 딱히 당기는 음식이 없는 것이다. 이제 입맛도 생기를 잃어가고 있는지 식욕이 떨어진 것이 체중 감량에 좋다는 것으로 위안한다.

아버지는 평양냉면과 불고기를 좋아하셨다. 몇 번이나 모시고 갔을까? 중국요리는 자장면, 짬뽕, 탕수육 등 일상적으로 먹는 것 이외에 값비싼 코스요리로 모신 적이 없었던 것 같다.

나는 주재원으로 일본에 오래 있었지만, 아버지를 한 번도 초대해서 일본 구경을 시켜드리지를 못했다. 지금 생각해도 나 스스로가 황당할 정도이다. 당시는 누구를 초대하는 절차도 지금처럼 간단하지 않은 점도 있지만 내 가족(마누라, 애들) 외에는 주위를 살필 마음의 여유가 없었던 철부지였음에 틀림이 없다.

세월이 한참 지나 중국 센젠(深圳)에서 만학(晚學) 중이던 때, (딸래미가 할아버지를 모시고 와서) 아버지를 모시고 긴 여행을 했다. 본고장의 좀 특별한 요리를 대접해서 그나마 위안한다. 그때 좋아하시던 기억이 아직도 생생하다. 왜 그랬을까, 한번이 아니고 몇 번이고 모셨어야 했는데 하는 후회가 지금 와서 무슨 소용있겠나!

나도 이미 할아버지이네!

아버지는 선천적으로 건강하셨나, 대학병원에서 진찰받은 기억이 없다. 동네 병원에서 감기약을 처방받아 드시거나 청력이 나빠서 보청기를 맞췄는데 잘 맞지 않아 몇 번이나 교정하려고 왔다 갔다 한 기억이 있을 뿐이다.

나는 지금 스탠트를 두 개를 심고 당뇨, 콜레스테롤, 전립선 비대증약에, 이런저런 영양제까지 약(藥)이 넘친다. 그런데 아버지는 약봉지가 거의 눈에 띄지 않았다. 그도 그럴 것이 비교적 자주 가는 동네 한의원에서는 침을 놓아 주지만 약 처방은 거의 없으니 말이다.

아버지는 아침마다 한 시간 이상 산책을 하셨다. 그래서인지 나이에 비해서 허리, 무릎 등 퇴행성 관절염 이외에는 특별히 병증으로 고생하셨던 기억은 없다. 그토록 건강하셨을까? 지금 내가 여기저기 아프다고 의사인 아들에게 마저 털어놓기를 꺼리듯이 아버지도 참고 있었던 것은 아닐까!

요즘 이런저런 SNS 문자 메시지를 보면 백세시대에 대하여 잘 사는 방법을 많이 알려준다. 적게 먹어라. 꾸준히 움직여라, 친구와의 만남을 가져라, 등등 두고두고 참고해야 할 만한 좋은 정보가 매일 쌓인다.

아버지는 말년에 친구, 후배들이 나이가 들수록 하나둘 없어지니 홀로 걷고, 교회에 열심히 다니셨다.

그때 아버지와 함께 산책이라도 가끔씩 했으면 얼마나 좋아하셨을까?

커피도 좋아하셨는데 아들과 함께 마시면서 담소하는 시간을 기다리셨겠지?

온전히 나의 세계 속에서만 살았다.

아버지의 입장에서의 의식주(衣食住) 어느 것도 생각해 본 적이 없구나!

나는 이렇듯 철이 늦게 들어 아버지 여인

후에 이랬으면, 저랬으면 후회하고 있다.
옛말 틀린 거 하나 없구나! 조선 중기의
정치가이자 문인 '송강, 정철'의 시(詩)가
가슴을 후빈다.

[어버이 살아신제]
-
어버이 살아신제 섬기기란 다하여라
지나간 후면 애닯다 엇디 하리
평생에 고쳐 못할 일이 이뿐인가 하노라

아빠의 마음

오늘 한동안 뜸했던 고교 동창과 오래간만에 점심을 같이했다. 가까운 친구들과 공동으로 나무 기르고, 농사나 지어보면 좋겠다는 막연한 생각으로 사회 초년생 시절에 포항 인근에 사 놓은 임야를 구매할 의사가 있다는 것이다.

수십 년 전에 마련한 꿈의 동산인데 나무 한 그루 심어 놓지 않고 이제껏 방치해 놓은 상태이다. 그 땅 생각이 났을 때는 70에 들어선 때였다. 청년 시절의 꿈은 젊은 시절에는 바쁘다는 핑계로, 지금은 너무 늦어서 (늙어서) 어느 누구 하나 나서서 옛꿈을 실천해 볼 사람이 없다.

그래서 팔아서 함께 여행이나 떠나자고 하면서 매물로 내놓았는데 정부의 규제에다 불경기가 계속되고, 코로나 팬데믹까지 덮치다 보니 도리없이 또 기약 없이 해를 넘기고 있는 터이다.

그 친구는 딸이 둘인데 금전적으로 크게 부담 안 되면서 혹시 딸들이 유용하게 사용할 무엇이 있을까 하는 생각에서 이것저것 고려해 보고 있는 듯하다. 큰딸은 교사이고, 작은딸은 직장을 그만두고 집에서 프리랜서로 디자인 (무슨 디자인인지는 모르지만) 관련 일을 하고 있다고 한다.

이미 결혼해서 안정된 생활을 하고 있다고 한다. 그렇지만 잘 나가는 친구들 얘기를 들어보면 자녀들에게 물질적인 측면에서 해준 것이 너무 없어 미안한 생각이 들곤 한단다.

더구나 젊었을 때 본인의 잘못된 판단(?)으로 애들한테 인생의 좋은 기회를 놓치게 하지나 않았나 후회가 든다고 한다.

첫 번째는 일본에 주재원으로 갈 기회가 있었는데 포기를 했단다. 만일 그때 몇 년 일본에 주재했더라면 애들이 일본어도 습득하고 견문도 넓힐 기회였는데 자기 때문에 애들이 기회를 놓쳐서 지금 와 생각하니 애들한테 미안하다는 것이다.

두 번째는 큰딸이 미국에 6개월 연수를 갔었는데 연수 기간이 끝나고 좀 더 견학하고 싶었다. 그러나 아빠의 반대로 귀국했다고 한다. 그때 잘못된 결정으로 딸들을 한국만 아는 우물 안 개구리로 만들어 놓은 것 같아 아빠로서 애들한테 미안하다고 한다.

꼭 그래서만은 아니더라도 딸들에게

조그만 땅덩어리라도 남겨주고 싶은 아비의 마음 씀씀이에 가슴이 찡하다. 부모의 속내는 이토록 자식 위하는 마음으로 가득한데 받아들이는 쪽은 어떤 마음일까 가끔 궁금해진다.

아무것도 줄 것이 없을 때는 무엇이든 받기만 해도 좋을 것 같은데 막상 받고 보면 마음에 안 들기도 하고, 더 좋고 큰 것을 바랄 수도 있기 때문이다.

돈 자랑, 자식 자랑 하지 마라!

또 다른, 고등학교 동창 중에 대기업에서 조기 퇴사하여 독립하여 지금은 어엿한 중견기업의 회장인 친구 아들 형제 얘기다. 슬하에 두 아들이 있는데 일찍 재산을 분배했다고 한다. 큰아들에게는 회사를 물려주고 작은아들에게는 이에 상당하는 재산을 주었다고 한다.

큰아들은 회사의 대표로서 열심히 경영하여 회사를 더욱 내실 있게 키워가고 있고, 작은아들은 미국으로 가서 잘 산다. 그런데 최근 들어 작은아들이 자기가 회사를 경영하면 더 크게 기여할 수 있다며 경영에 참여하게 해달라고 조르고 있어 머리가 아프단다.

회사가 잘 되는 만큼 자기가 받은 재산분배량이 상대적으로 작아 보이는 모양이다. 남의 떡이 크게 보이는 것이다. 경영에 참여하게 되면 향후 자기 공로를 명분으로 또 다른 재산분쟁이 우려되는 상황이라 아버지는 열심히 경영 참여의 꿈을 깨도록 설득하는 중이라고 고민을 털어놓았다.

있으면 있는 대로 고민이 있고, 없으면 주지 못해 가슴 아픈 것이 부모이다. 고령 시대에 접어들어서 노인의 삶을 위한 조언이 쏟아져 나오고 있다. 자식에게 조기 상속하지 말라는 충고부터 재테크까지 자식에게 휘둘리지 않고 사는 방법들이다.

그래도 부모는 자식의 세상살이에 보탬이 되었으면 하는 희망을 담아 재산을 몽땅 털어주고 후회하는 사람도 많이 있을 것이다.

TV '동물의 세계' 다큐를 보면 새 중에는 다른 새의 둥지에 몰래 알을 낳아놓고 전혀 돌보지 않는 몰염치한 새도 있다. 그러나 동물은 대부분 종(種)을 불문하고 자식에 대한 사랑은 눈물이 날 정도로 대단하다.

인간은 머리가 너무도 영리해서 사랑을 주는 것도, 받는 것도, 산술적으로 계산하는지도 모르겠다. 준 것보다 많이 받고 싶고, 받은 것보다 더 많이 받고 싶은 것이 인간의 이기적 본성이던가? 그렇지만 그 사랑을 물질적으로 환산하는 사람이 있다면 이미 그것은 사랑이 아닐 것이다.

고(故) 이병철 삼성그룹 회장의 회고담처럼 골프와 자식 농사는 마음먹은 대로 되지 않는 진리 같은 명언인가 싶다.

사랑의 5분 대기조

비 오는 일요일 오후, 커피숍에 홀로 뜨거운 커피를 마시는 것도 나쁘지는 않다. 오늘 같은 날은 마누라와 함께이면 더욱 좋겠지만 커피와 담쌓고 사는 사람이라 둘이 카페에 앉아 있는 경우는 드물다. 종종 묻는 '지금 뭐하고 있냐?'는 친구들에게 답을 대신하여 이 글을 쓰고 있다.

사우나가 끝나고 인근 빵집에서 기다리고 있다든지 (의례히 내가 빨리 끝난다) 아니면 함께 바깥일을 끝내고 같이 걸어준 공로로 특별히 나에게 커피 마실 기회를 주는 경우이다. 오늘은 이른 점심을 하고 나홀로 낭만(?)을 즐기고 있다.

그렇다고 해서 온전한 자유를 누리고 있지는 않다. 언제 러브콜 lovecall이 올지 모르기에, 말하자면 대기 상태이다. 사무실이 가까워서 늘 곁에 있는 느낌을 주는 것이 가끔은 이런 약간의 심적 압박을 주기도 한다.

인천으로 출근하는 이틀을 제외하면 자유스러운 날이 엄청 많은데도 이것저것 보고 싶고, 하고 싶고, 배우고 싶은 것을

기약 없는 내일로 미루고 있다는 것이
남이 들으면 이유 같지 않은 이유이리라.

책 보고 유튜브라도 보면서 시간
보내기엔 좋지만, 영화를 본다든지, 시간이
제법 소요되는 산책이라도 가려면 출발하기
전에 마음 한켠이 불안해 온다. 좋아하는
그림을 그리려다, 시(詩)라도 써 보려다,
언제 이런 감정이 끊길지 모른다는
불안감에 아예 손에 잡히지 않는다.

물론 사전(事前) 신고를 하면 안 될 건
없겠지만, 어찌하여 마음졸이며 늘 가까운
곳에서 비상대기(?)하고 있을까? 이는 나
나름의 마누라에 대한 배려이고 알량한
사랑의 표현이다. 말하자면 '사랑의 5分
대기조(待機組)'이다.

원래부터 나다니고 사람들과 만나는 것을
즐기지 않는다고 얘기는 들었다. 그런 생활
습성이 결혼 후에 쪼들리는 살림살이가
근검을 몸에 달고 살도록 한 것은 아닌지,
밖에 나가면 돈 쓴다는 생각을 더욱
굳히게 한 것은 아닌지, 그래서 결혼
후에도 바뀔 수 없었나 생각하면
미안하다.

집사람은 일본 입국 당시 일본어를 전혀
할 수 없었다. 그러나 주재원들이 많이
사는 동네에 살면 자연히 주재원 부인들과

만나 한국말을 주로 사용할 것이다. 그러면 일본어를 습득에 문제가 있다고 생각해서 일본 친구가 사는 동네에서 살기로 했다. 그런데 신통하게 장도 봐오고 애들이 아프면 병원에 가서 치료받았다.

운 좋게 동네 빵집에서 아들과 한국말을 하는 것을 듣고 주인 할머니가 한국 사람이냐고 묻더란다. 교포 할머니였다. 그 후로는 그 할머니 덕분에 생활에 애로사항이 없었던 것 같다. 마음씨 고운 야마자키(山崎) 할머니를 아이들도 무척이나 따르고 좋아했다.

귀티 내려고 노력한 사람

집사람은 꽃꽂이 고급 강사 자격증도 받고, 미용 전문학교도 졸업했다. 지금도 일본 글은 쓰지 못하지만, 말은 청산유수이다. 혼자의 힘으로 자격증도 따고 대학도 졸업한 것을 보면 대단한 노력가이다.

애들은 큰놈은 유치원, 작은놈은 유아원에 보내고 공부하러 다닌 것이다. 그 위에 시간이 남으면 동네 도시락 공장에서 아르바이트도 했다. 그래서인지, 주먹밥 싸는 것은 그 맛이 일품이다.

일부러 한국 주재원들이 많이 사는
동네를 피해서 집을 얻었기도 해서 주재원
부인들과의 왕래가 적었다. 그리고 혼자
공부하면서 애들 뒷바라지하기 힘들었을
정도로 시간이 없었을 거다.

카페에 앉아 커피 마실 시간적 여유가
거의 없었기에 지금까지 커피를 좋아하지
않는 습관으로 되었나, 혼자 하는 미안한
고민이다.

건강하기만 하면 무엇이든 해치우는
불도저 같은 사람인데 요즘은 마음뿐
행동으로 옮기기에는 힘이 많이 부치는
모양이다. 매사에 마음처럼 의욕이 따르지
않는다는 느낌마저 든다.

몸이 불편하면 신경이 예민해지고
자기중심적으로 되기 마련이다. 생각처럼
몸이 움직여 주지 않고, 만사가
귀찮아지기도 할 것이다.

때에 따라서 혼자 있고 싶기도 하고,
어느 때는 같이 있어 주기를 바라기도
한다. 그런 때(timing)를 맞추기가 쉽지
않다는 것도 옆지기인 나의 고민이다.

밝은 얼굴로 노래 교실도 가고, 친구도
만나 활짝 웃으며 신나게 한바탕 즐기고
오면 좋겠다. 나를 위해 음식 잔뜩 만들어

놓고 지쳐있는 모습이 안쓰럽다. 그렇게 공들여 만든 음식을 싹싹 비우지 못해 미안하다.

집사람은 많이 먹고 건강해야 한다고 푸짐하게 주고 요즘 나는 소식(小食)하려고 노력 중이니 가끔은 오해를 사기도 한다. 그것 또한 미안하다.

음식을 만드는 사람은 맛있게 많이 먹어주는 것이 제일 기분이 좋은 일이라고 한다. 가끔은 계면쩍게 소식이 건강에 좋다고 하니 함께 실천해 보자고 권유해 보기도 한다.

집사람이 건강해야 본인이 우선 좋을 것이고 나도 정신적으로 자유로울 것이다. 내가 쌩쌩해야 집사람도 걱정 없이 일상을 즐길 수 있겠지, 하면서 열심히 건강관리를 하려고 노력한다. 집사람도 나와 같은 생각으로 자신을 돌보며 이기주의자 egoist가 되기를 바란다.

오늘도 약간의 속죄하는 마음을 곁들여 기꺼이 전화 소리에 귀 기울이고 있다.

마나님 덕분이라네

친구 부인이 요즘 건강이 안 좋아 걱정이
이만저만이 아니란다. 몇 달 전에
신경퇴행성질환 진단을 받았다고 한다.
초기라고는 하지만 이름만 들어도 가슴이
철렁 내려앉는 병명이 아닌가! 파킨슨,
치매로 진전이 될 수도 있기 때문이다.

중앙대 병원에서 진단받고 한 달여
지났을 즈음 지인이 아산병원에 명의가
있다고 하여 여기저기 수소문하여 어렵게
그 의사에게 진료받고 처방을 받았다. 약이
바뀌었을 뿐인데 예우가 좋다고 기뻐한다.

특별한 약이 있을 리가 있겠냐마는
명의가 처방해서 정신적으로 약효가 더
해져 정말 다행이라고 했다. 의사를 믿지
못하면 이 병원 저 병원을 전전(展轉)해야
될 테니까.

그렇지만 사람이란 원래 탐욕의
동물인가, 한 가지가 해결되면 새로운
문제가 걱정이다. 긴 세월 동안 잊고
지내던 정신적인 문제를 하나둘 꺼내서
심사숙고하며 고민한다.

그러다 보면 후회도 되고, 원망도

생기고, 한(恨)도 있게 마련이다. 친구는 그 결과가 공황장애, 우울증으로 마음의 병이 생기는 것이 아닌가, 우려한다.

성장기에 특별히 다른 친구에 비해 나쁜 환경에서 자란 것도 아니고 찢어지게 가난한 살림도 아니었다. 그러나 본인은 친구들에 비하여 가난하였고 부모로부터 사랑도 듬뿍 받지 못하며 자랐다고 자기비하(自己卑下)를 하는 것이다.

세상에서 제일 불쌍하게 자란 사람으로 생각하고 과거의 이야기가 나오는 것이 무서워 깊은 대화가 나오기 전에 상대를 피하고 싶은 모양이다.

부모는 이혼까지는 아니지만, 아버지와 사이가 좋지 않았다고 한다. 아버지는 몹쓸 사람이 되었고, 자식 모두가 평생을 그렇게 생각하고 살아왔다. 그래서 가정사가 본인에게 있어서 가장 수치스러운 일이었고 들추어내기 두려운 화제(話題)였다.

어머니는 딸이 시집가는 것을 꺼릴 정도로 큰딸을 의지하며 살았다고 한다. 그래서 맏딸에 대한 희생 강요가 어려운 환경에서 불쌍하게 자랐다고 스스로 자학적(自虐的)으로 생각한다. 그런 경험들이 아버지도, 어머니도 평생 애증(愛憎)의 대상이 되었다.

4~50년대의 사람에게는 가난이 일상이었다. 그러함에도 부인은 각별히 자신의 과거에 대하여 부정적이고 수치스럽게 생각하는 모양이다. 그래서 그런지 지인들과의 대화 중에 본인이 생각하는 어느 단어에 임의의 의미를 부여하여 자기 나름의 오해를 하기도 한다고 한다.

말이란 대화하는 분위기, 억양, 습관에 따라, 같은 말이라도 똑같은 의미가 아닐 수도 있다. 예를 들면, 이제부터 '소식하자'라고 하면 지금부터 소식하기로 하든지, 아니면 단백질을 더 많이 섭취해야 한다고 다른 제안할 수도 있다.

그런데 '내가 많이 먹는다고 욕하고 있나?'라고 생각하고 시비를 걸면 제안하는 사람과의 갈등이 생기게 마련이다. 때때로 남편에게도 전(前)에 했던 말이 생각나서 태클 tackle을 걸어올 때가 있다고 한다.

친구는 커피를 다 마시고 헤어지기 전에 시원한 답을 해주기 바라며 재촉하는 눈치이다. 심리학을 전공한 것도 아니고 그 부인을 잘 아는 것도 아니니 사실

그럴듯한 답변을 내기가 쉽지 않다. 그렇지만 커피값은 해야 할 테니 위로 겸 몇 마디를 건넸는데 도움이 되었으려나?

부인은 몸이 아프니 푸념을 하는 거다, 응석을 부려보는 거다, 어떠한 상황이더라도 이기려고 하지 마라. 논리와 증거로 이겨봐야 아무 소용이 없다. 잘 듣고 인정하는 자세이면 된다. 진다고 생각하지 마라. 그러는 부인도 많은 부분은 자기가 잘못하고 있음을 내심(內心) 인정하고 있을 것이다.

한마디 덧붙이면, 부인이 잔소리를 많이 하면 그렇지 않은 경우보다 남편이 훨씬 더 건강하고 수명도 길었다는 조사 결과가 있다.

원인은 바로 '메기효과 Catfish Effect'이다. 수족관에 생선을 넣어서 운반할 때 메기를 한 마리 넣어놓으면 피해 다니느라 생기를 얻어 죽지 않는다는 경험에서 유래된 말이다.

그러니 이제부터 부인의 잔소리를 메기효과로 생각하자! 부인의 잔소리는 바로 보약이다.!

서로 부축하며

산책길에 이따금 만나는 잘 걷지 못하는 부인을 부축하고 가는 할아버지~ 눈물 나도록 정겹지만 슬프다. 젊은 자식을 휠체어에 태우고 열심히 앞만 보고 걷는 나이 든 어머니의 모습도 눈에 띄곤 한다.

두 사람 관계는 나의 짐작일 뿐 꼭 그렇지는 않을지 모른다. 두 사람 사이는 아름답지만, 너무도 눈물겹다. 부축받는 사람, 휠체어에 앉아 있는 사람의 마음과 부축하는 사람, 밀고 가는 사람의 입장이 되어 본다. 누구의 입장이 되어도 눈물이 난다.

헬스장에는 허리가 꼬부라져 잘 걷지 못하는 아내를 부축하고 트랙을 걷는 할아버지, 실내 자전거를 사이좋게 옆자리에서 나란히 앉아 타는 노부부를 갈 때마다 거의 만난다. 사는 날까지는 건강해야 한다는 교훈을 얻곤 한다.

아직 우리 부부는 하루 대부분의 시간을 따로따로 보낸다. 서로가 곁에 없어도 생활에 지장이 없이 지낼 수 있는 건강에 감사함을 느끼곤 한다. 그런데 최근 들어 집사람과 함께 있는 시간이 많아졌다.

집사람의 건강이 좋지 않다는 증거이기도 하다. 같이 병원에 가야 한다든지, 옆에서 시중을 들거나, 함께 있어 주기만 해도 정신적으로 도움이 되는 일들이 많아지고 있다.

대학 선배 한 분이 작년 이맘때 오래간만이라며 호출하여 잘 얻어먹은지라 올해에는 잊지 않고 식사 초대를 했다. 지체없이 선배한테 온 회신은 부인의 병간호 때문에 당분간 자리를 지켜야 하니 나중에 연락한다고 한다. 친구가 만나자고 할 때 언제든 만날 수 있고, 영화 보고 싶을 때 영화도 보고, 산책하고 싶을 때 산책할 수 있는 자유는 옆지기의 건강에서 온다.

그래. 그게 사랑이지!

어느 쪽이 불편하면 다른 한쪽도 불편해져야 사랑하는 사이 아니겠나!

정말로 사랑하는 사람이라면 자신의 이익을 기꺼이 포기할 수 있어야 한다. 이 시대를 살아가는 사람들의 품격이 이러하면 좋겠다. 우리 사회가 아름답고 밝기를 바란다.

　그러나, 이런 말을 하면서도, 병실에서 혹은 집에서 다른 한 사람의 병간호를 하는 현실이 되지 말아야 할 텐데 하는 걱정이 밀려온다. 대형 병원에서 진료실을 찾아 복도를 오가는 군상(群像)들이 떠오른다.

　너무 자기 편의(便宜) 위주라고 욕해도 좋다. 차라리 따로 논다고 매정하다는 얘기를 들어도 좋다.

　남의 도움이 필요 없도록 나를 챙기는 것이 결국 나만을 위하는 것이 아니라는 것을~

　옛날에는 알지 못한 노년의 지혜라고나 할까!

그 미국풍 커피숍에서

그간 장맛비가 오락가락하더니 오늘은 전형적인 가을 날씨이다. 교외선이라도 타고 어디론가 훌쩍 떠나고 싶은 마음이다. 차를 타고 어디론가 떠나는 대신 가까운 카페라도 가서 기분을 풀어보기로 한다.

나의 사무실은 방배카페골목에 있어 말 그대로 카페가 즐비하다. 요즘 쉽게 볼 수 있는 화려하게 단장한 곳도 있고, 가격은 저렴하지만, 좌석이 없는 Take-Out 전문 카페도 많이 생겼다. 가격을 낮추었는데도 내부 시설이 깔끔한 커피숍도 있고, 컵 사이즈 구분 없이 일반 커피숍의 큰 사이즈 한 종류만을 비교적 싼 값을 받는 곳도 있다.

한가하게 요란한 음악을 즐기며 커피를 마시려고 찾았는데 앉을 자리가 없을 정도로 붐빈다. 팬데믹 현실을 까맣게 잊게 한다. 삼삼오오 자리를 차지한 젊은이들의 걱정거리는 아마도 없는 듯하다.

내 딴에는 직장인들의 점심시간을 피해서 왔는데도 분위기는 시끌벅적하다. 앉을 자리만 있다면 오래전부터 한 몸인 양

슬쩍 끼어 보고 싶지만 나를 반겨줄까 잠시 머뭇거린다.

햇빛은 한여름을 방불케 하는 따사로움에 수줍은 사람처럼 살짝 얼굴을 가리도록 한다. 팬데믹 때문에 세상이 막힌 듯 느끼면서 살지만 그래도 살만한 것은 소통할 수 있는 수단이 많기 때문이 아닌가 싶다.

카톡을 들여다보고 안부는 물론이고 많은 정보를 보내고 받고 한다. 그 외에 유튜브, 페이스북 등등 심심치 않게 볼거리가 존재하니 말이다.

팬데믹으로 방구석에 틀어박혀 예전에는 생각하지도 않던 새로운 창으로 세상을 억지로 접하는 기회를 발견했다. 이제는 그런 창구가 없으면 하루도 보낼 수가 없을 정도가 되었다.

나도 새로운 정보를 찾다 보니까 예전에는 생각하지도 않던 세계로의 초대를 많이 받고 있다. 역사, 문학, 새로 접하는 시사 문제 등 도움이 되는 지식, 정보가 너무나 많이 널려 있다. 그간 이런저런 핑계로 가볍게 생각하고 지나친 정복해야 할 지식의 산들이 너무도 많다.

그런데 사무실 근처에 있는 많은 커피숍 가운데서도 특별히 궁금증을 자아내는 커피숍이 있다. 주차장이 비교적 넓고 낡은 주택을 개조한 얼핏 보면 커피숍 같지 않은 곳이 있어 나의 궁금증을 자아내고 있었다.

뭔가 특별한 느낌도 있고 아무나 드나드는 곳이 아닌가, 하는 느낌마저 드는 곳이다. 겉모양은 미국 시골에서나 봄 직한 주막집 같은 느낌도 있고, 어쩐지 말이 매어져 있을 것 같은 주차장에는 날렵한 스포츠카도 가끔 보이곤 한다.

어느 날 한가한 오후에 그 앞을 지나치려다 궁금증을 못 이기고 들어섰다. 커피를 파는 곳임에 틀림이 없었다. 술병이나 술잔은 보이지 않았다. 안심이다. 손님도 가득했다. 전부 젊은이들이다.

이곳 미국풍(내 생각) 커피숍도 주위에 많은 커피숍 중에서 유독 허름하고 조용해 보이고 사람도 적은 것 같아 사회적 거리 지키기에도 적합할 것 같아 찾게 되었는데 분위기가 너무 맘에 들어 자주 찾는다.

그들 틈에 끼어 내가 좋아하는 카페라떼를 마실 요량이다. 마시고 가느냐고 묻길래 그렇다고 하고 커피를 기다리니 친절하게 자리까지 커피를 가져다준다. 일회용 컵이다. 홀에서 마시면 유리잔에 주는 것으로 얼마 전에 바뀌었다. 일회용 컵은 마시다가 언제든 들고 나갈 수 있다는 것이 커피숍에서 컴퓨터 하며 시간을 길게 쓸 여유가 없는 나로서는 얼마나 고마운 일인지 모른다.

환경보호와 편리성 즉, 이성과 감성이 상충 되는 순간이다. 밖으로 나갈 때 남은 커피를 일회용 컵에 다시 담아가지 않아도 되니 자원 낭비를 막지 않았나 자위를 해 본다. 환경문제가 먼저인지, 미국 커피숍 브랜드가 한국에서 많이 영업하면서 미국식 서비스를 채택하여서 그런지 요즘 커피숍에서 앉아서 커피를 받아 마시기는 쉽지 않다.

이제는 손님이 커피를 가져오고, 마시고 나면 뒤처리도 해 줘야 한다. 커피잔을 잘못 갖다 놓기라도 하면 종업원이 제자리에 갖다 놓으라고 지시(?)한다. 더 비싼 커피를 용역 서비스까지 하면서 감사하게 마셔야 하는 시대로 바뀐 것이다.

요즘 잘 나가는 커피숍은 널직한 홀에

최신식 인테리어가 떠올려진다. 그러나
이곳은 상상을 초월하는 유니크한 옛스러운
실내가 매력적이다. 낡아빠진 소파에다
어느 사무실에서 쓰다 버린 듯한 책상이
불규칙하게 배열이 되어있다.

　사방에 영어 캐치프레이즈(예: Prove
you're the best 등) 인생명언이 붙어
있고 자동차에 필요한 연락처 알림판 같은
일상에 필요한 메모지 같은 것을 예쁘게
많이 인쇄해서 비치해 놓고 있다. 누구든
가져가도록 하는 것도 여느 커피숍과는
다른 점이다. 천정은 높고 벽면은 온통
검은색으로 전혀 손대지 않은 태고적(?)
인상을 준다.

　잘 정리되고 깨끗한 장소가 약간은
불안한 긴장된 대기 상태라면 이런 곳은
허물없이 모든 걸 내려놓고 시(詩)라도 쓰고
싶은 안정된 곳이라고나 할까! 아무튼
나에게는 매력 있는 곳이다. 상호명은 커피
프레지덴트 coffee president인네 나는
미국풍 커피숍이라고 부르기로 했다.

　내가 몇 번이나 자랑한 이 커피숍
이미지가 그대로 잘 묘사가 되었는지 살짝
걱정되기도 한다. 점심시간이 훌쩍
지나서인지 썰물처럼 손님들이 빠져나간
커피숍은 서부영화에서 역마차가 쉬어 가는

칵테일 마시는 간이역의 카페 같은 분위기 느낌도 난다.

햇빛은 한여름을 방불케 하는 따사로움에 수줍은 사람처럼 살짝 얼굴을 가리도록 한다. COVID-19 때문에 세상이 막힌 듯 느끼고 살지만 그래도 살만한 것은 소통할 수 있는 수단이 많기 때문이 아닌가 싶다.

밖에는 늘씬한 말 대신에 자동차 재규어가 서 있고, 안에는 수염 난 키 큰 백인이 시가를 물고 있는 대신, 창가에서 보이는 밖의 별채에서 아리따운(?) 아가씨가 담배를 피우면서 담소하고 있네요.

무엇이든 잃는 것이 있으면 얻는 것도 있다고 하더니 정말 그런 것 같다. 집에서 지내는 시간이 많아졌으니 가족 간의 사이도 좁혀졌다. 외출이 줄어 컴퓨터로 정보를 탐색하고 공부하는 시간이 많아져 견문도 넓혀졌다. 오늘처럼 한가하게 커피 한잔하면서 상상의 날개를 펴는 시간도 너무 좋다.

COVID-19로 잃은 것이 많다면 얻을 것도 많을 테니 열심히 챙겨 봐야겠다. 그것이 생활의 균형 아닐까?

창가 장미를 보며

실로 수십 년 만에 고향 같은 구반포 아파트 단지 재개발로 인해 피치 못하게 이사를 했다. 이사 온 곳은 아파트지만 1층이어서 창문에서 보이는 작은 정원이 있어 땅집 같은 느낌이 든다.

창문에서 보이는 늦가을에 핀 예쁜 넝쿨장미꽃을 감상하며, 어릴 적 오래 살던 곳, 서울 용두동 집을 떠올리며 옛 생각에 잠긴다.

지금 생각해 보면, 우리가 살던 용두동 집은 6.25 전쟁 이후 서울 인구 팽창에 의한 주택 개발 지역이 아니었나 싶다. 몇 년을 살다 보니 우리집 앞의 넓은 배추밭에 멋진 한옥이 지어지기 시작했다. 그래서 길을 사이에 두고 구(舊)시가지와 신(新)시가지로 나뉘게 되었다.

우리가 살던 구시가지 동네집은 적당히 속성으로 지은 듯한 낡고 좁은 집이었다. 일자(一字)형 집으로 대문 열고 들어서면 좁고 긴 마당이 있고 방, 부엌 그리고 비교적 넓은 큰방이 있었다.

마당이란 곳은 수도에 누가 앉아

일이라도 하면 통과하기가 어려울 정도의 좁고 긴 모양이었다. 앞집도 똑같은 구조로 마주 보고 있는 대칭형인데 가운데를 나무벽으로 막아 놓아서 틈새로 앞집을 견학할 수도 있고, 할머니는 틈새로 찬거리를 주고받기도 하고, 날씨나 동네 뒷담화도 나누곤 하셨다.

그 좁은 어쩔 수 없는 마당 담벼락이 나에겐 추억을 심는 멋진 농장이었다. 벽에 조그만 나무상자를 만들어 붙여서 흙을 넣고 수세미, 유자, 나팔꽃 등을 심었었다. 이런 넝쿨 식물들은 하늘로 솟아오르니 지면을 차지하지도 않고, 우리집 담장을 푸르게 물들이고, 하늘마저 꽃 숲으로 덮어주었다.

나는 마당이 좁다는 불만보다는 그들이 만들어 준 푸름을 기억하며, 늘 다음 해를 떠올리며 설레곤 했다. 그간 숱한 세월을 아파트 숲에서 보내면서 그런 조그만 낭만을 잊고 살았었는데, 구반포 재개발로 본의 아니게 이사 온 아파트가 1층이기에 무심코 창가에 하나둘 핀 넝쿨장미를 보면서 희미해진 옛 기억을 끄집어낸다.

내친김에 채송화, 백일홍이라도 심어

볼까, 하고 물어보니 그 공터는 단지에서 일괄 관리하여서 자기 집 창가라도 직접 식물이나 채소 등을 심거나 재배할 수가 없다고 한다. 도난 방지를 위하여 심지어 사람의 출입도 통제할 정도인 DMZ 같은 곳이라고 한다. 게다가, 창문은 온통 창살로 덥혀 아쉬움마저 있다.

오래간만에 떠오른 소년 시절의 낭만은 그저 꿈속에 고이 간직해 놓아야겠다.

고향의 맛

먹방 볼 때마다 아직 먹어 보지 못한 음식이 많다는 생각을 한다. 며칠 전 곰치국에 대한 영상을 보고 한 번도 먹어 보지 못한지라 무슨 맛일까 궁금해하며 집사람과 맛보러 한번 가보고 싶다고 얘기한 적이 있다. 그런데 그 곰치국이 친구와 연결될 줄이야. 이 교수가 고향 강원도를 떠나 온 후 각별히 생각나는 고향의 맛이란다.

나는 딱히 음식에 연상될 만한 추억이나 그리움이 없다. 고향을 떠올리는 맛, 타향에서가 아니고 고향에 가서 먹으면서 '아~ 이 맛이야!' 하는 그런 음식이 하나도 없다는 것이 서럽기까지 하다.

기억 없는 이북에서 서울로 왔고, 6.25 피난 시절 (그것도 짧게) 천안에서 보내고, 군 생활은 대구에서 지냈다. 취업한 후 일본에서 10년 주재원으로 있었고, 2천 년부터 6년간은 중국에서 석사과정 수료하고, 교수 생활도 하다 보니, 입맛이 엉망이 되었나, 혀가 맛을 기억 속에 간직할 시간적 여유가 없었는지, 맛에 무디기만 한 나를 새삼 발견하게 된다.

　고향의　맛，엄마의　맛，할머니의　맛을
더듬어　　본다．　우리　　엄마의　　　맛은
'고추고기'라는　것인데　돼지고기，파란고추，
고춧잎，고사리　등을　넣고　찜　요리하듯이
푹　조린　음식이다．많이　해놓고　두고두고
먹는　우리　집의　저장　음식이다．집사람이
똑같이　할　뿐　아니라　맛도　좋아서　앞으로
우리　집　자랑거리　음식으로　　대대로
전해지기　바라고　있다．

　요즘　TV에　넘치는　음식　프로그램에서는
맛있다는　표현이　'엄마의　손맛'，'할머니의
손맛'이라고　하며　엄지를　치켜세운다．우리
엄마의　손맛인　고추고기는　밖에서는　맛볼
수　없는　특별한　음식이다．식당에는　딱히
그런　맛이　없다．아니면　어릴　적　맛있게
먹던　다양한　맛에　대한　나의　기억이
희미해진　　탓일까．　　이제는　　엄마의
손맛이라기　보다는　2대(代)를　이어오는
우리집　전통음식이라고　해야　맞을　법하다．

　기회가　　되면　이　교수에게도　우리집
전통음식　고추고기를　자랑하고　싶다．
그리고　이　교수가　고향에　가서　먹고　보고
싶어　하는　고향의　맛，곰치국도　함께
음미해　보고　싶다．

엄마의 맛 '고추고기'

고추고기는 우리집 전통음식
누가 먹어도 맛있는 음식
언제 먹어도 질리지 않는 음식
나는 안다, 엄마의 맛, 그 비밀을

집 맛을 계속 지켜주려는
며느리의 정성스러운 끈질긴 노력이다
할머니의 맛을 이어가려는
며느리의 사랑 담긴 아름다운 작품이다

그 안에 할머니가 있고
그 맛에 행복과 그리움이 스며 있고
가족을 위한 사랑이 있다
또, 딸과 며느리가 이어갈 엄마의 맛이다

말이란 것

　요즘 대화의 내용 중에 흔히 들리는 말은 '~~ 같다'는 표현이다. '~~ 같다'는 말은 '~~와 비슷하다',는 뜻이다. 다시 뜯어 보면 확실하지는 않다는 뜻이다. '~인 것 같다'는 영어로 'It seems that' 혹은 'seems to be'와 같은 표현으로 나타낼 수 있다. 이 표현은 추측하거나 상황에 대한 주관적인 느낌을 나타내는 데 사용된다.[18]

　얘기하다 보면 '정확하지는 않지만 대략 ~ 이다.'와 같은 표현들을 가끔 사용하게 된다. 그런데 일상에서 '~인 것 같다'라는 단어를 사용할 때 떠오르는 의미는 좀 다른 것 같다. 확실하고 틀림없는 사실도 그렇게 사용하기 때문이다. 가족사진을 보면서 '아버지인 것 같다"라고 하면 자기 아버지인지 잘 모르겠다는 표현인데 본인은 아버지가 틀림없다고 말하고 있으니 말이다.

　우리가 일상생활에서 이런 표현을 많이 사용하게 된 것이 '자신감 감소' 또는 '책임 회피'에서 오는 현상이 아닌가 싶다. 나쁘면 '나쁘다'라고 자신 있게 말하고,

---

18) Kay on the Life:티스토리

틀리면 '틀리다'라고 말하면 좋을 것을 '나쁜 것 같다', 틀린 것 같다'라고 애매모호(曖昧模糊) 하게 말하지 않았으면 좋겠다.

요즘 줄임말도 유행하고 있어서 원래의 문장을 다 듣고서야 이해가 되는 말도 많아 소통이 어려울 때가 있다. 연말이 되면 새로운 건배사로 유행을 타던 것이 일상용어에까지 확산 사용되고 있는 현상이다. 무차별적인 양산이 아니고 재치 넘치는 단어에 국한해서 통용되면 좋겠다는 희망 사항이 생겼다.

요즘 MZ세대 신조어 줄임말 [19]:
애빼시 : 애교빼면 시체 / 내또출: 내일 또 출근ㅠㅠ / 남아공 : 남아서 공부 해라 / 오저치고 : 오늘 저녁은 치킨고? / 중꺽그마 : 중요한건 꺽이지 않는 그 마음 / 소확행 : 소소하고 확실한 행복

막역한 친구가 남한산성에 올랐다 내려오는 길에 성남에서 소문난 욕쟁이 할매 꼬리곰탕집이 생각나 찾았지만 결국 못 찾고 아련한 추억만 담아 왔다는 글을 보고, 불현듯 옛날 일본 주재원 시절이 생각난다.

---

[19] 요즘 신조어 mz세대 줄임말 모음|작성자 쥬

일본에 근무한 지 몇 년이 지나 나름대로 일본말에 자신이 붙은 때였는데 일본 친구 중 한 사람의 일본어 솜씨에 늘 의문을 품을 정도로 감탄하며 부러워했다. 노인한테도 친구에게 건네는 말투로 예기하는데 오해는커녕 너무도 격의 없이 친하다는 의미로 통한다.

어려운 말이 아니라서 따라 하기 어렵지도 않지만, 감히 그런 얘기를 오해할까 두려워 건네지 못하는 것이다. 일본사람이라고 다 그렇게 서슴없이 말을 구사할 수 있는 것도 아닌 듯싶다.

한국에서도 사투리를 쓰는 사람 중에는 윗사람에게도 마치 친구나 동생에게 말하듯 내뱉지만 정겹게 들리는 것과 같은 것이다. 결국 일본에 있는 동안 자신 있게 그런 말투로 생면부지의 사람과 말을 섞은 적이 없다.

예의 지켜 존댓말을 하는 것보다 더 어렵다는 것을 지금도 실감한다. 어떤 의미에서는 말의 달인이 되기란 그리 쉽지 않은가 보다. 역시 말이란 상대가 있으니만큼 조심하고 조심하는 것이 상책일상 싶다. 뱉어 놓고 후회해야 소용이 없으니 말이다.

한글, 우리말, 한류 전도사로 당당하고

아름답게 키워야 한다. 한글은 어떤 소리도 그대로 쓸 수 있다는 편리성 때문인지 쓰고 말하는 것이 제멋대로다.

일본어는 대일감정 때문에 방송에서도 주의를 하는 편이지만 요즘은 느슨해져서 방송은 물론, 아직 도처에서 많이 쓰이고 있다.

기타 외래어는 지식의 상징처럼 무분별하게 사용이 되고 있고, 그래서 새로운 기술영역 분야에서는 한글 용어가 사라지지 않을까 걱정이 된다.

얼마 전 공업용구 팜플렛을 중국어로 번역한 적이 있다. 번역하면서 놀란 것을 좀 과장하면 토씨를 빼놓고는 모두 외래어 투성이다. 그것도 일본식 발음대로 사용하고 있는 용어이기 때문에 원어를 찾기가 쉽지 않았다.

우리말 사전에는 없고, 외국어로 번역하기 위해서는 원어를 추가해 주는 것이 더 정확하다고 생각해서 해당 분야의 전문가에게 문의해도 확인하기 어려운 용어가 너무 많았다.

일본어나 중국어는 외래어를 국가차원에서 재(再)제작을 하고 있을 정도로 통일되어 있다. 물론 그들은 외래어와 일치하는 글자(발음)가 없다는 문제 때문에 더 적극적이기도 하다.

세계가 일일생활권 시대이고 다른 문화와의 접촉이 왕성하기에 부득이 외래어를 차용해서 사용하는 단어가 많아졌다. 우리 문물의 발전이 외국에서 인용하여 일상에서 사용하여야 하는 용어가 많아지면 좋겠다.

김치 kimchi, 불고기 bulgogi 같은 한국음식 관련 단어들은 영어권에서도 사용되고 있다. 과학, 예술 분야에서도 많은 용어가 사용되기를 바란다.

이제 먹고 살기에는 문제가 없는 풍족한 나라가 되니 국민이 국가에 요구하는 사항도 많아졌다. 현안 사항 중에 한글, 외래어 표기 문제도 함께 다루어지기를 바란다.

K-Pop도 한글을 달고 세계를 달구고 있다. 한글이 세계 공용어가 되는 시대가 앞당겨지기를 바라는 마음 간절하다.

여기에 보태서 바라건데, 고운 말을 써서 모두가 멋있는 사람이 되면 좋겠다.

사랑이란 이름으로

연애 시절 무엇이든 '아무거나', '좋을 대로'하라고 나에게 맡기던 (풋풋하고 순진했던) 사람이었다. 그런데 언제부터인가 식당에 가면 앉기가 무섭게 네게 묻지도 않고 먼저 주문한다. 건강에 좋다든지, 이전에도 좋아한 음식이라고 기억하고 미리 알아서 주문하는 것이다.

너무나도 고마운 일이다. 그러나 때론 먹고 싶은 걸 못 먹는 불상사도 일어난다. 물론 오늘은 그것보다 이것이 좋겠다고 미리 말하지 않은 점이 잘못이지만 아주 드물게 씁쓸할 적도 있다. 이런 일은 친한 사람 간의 지나친 배려에서 일어나는 현상이리라.

왕년의 최희준의 히트곡 '엄처시하'의 가사가 떠오른다.

'열아홉 처녀 때는 수줍던 그 아내가 첫아이 낳더니만 고양이로 변했네. 눈 밑에 잔주름이 늘어가니까 무서운 호랑이로 변해버렸네. 그러나 두고 보자. 나도 남자다. 언젠가 내 손으로 휘어잡겠다. 큰소리쳐 보지만, 나는 공처가'.

나 역시 아주 가끔 큰소리쳐 보지만 나도 공처가? 이런 현상은 부부지간의 힘(?)의 균형의 변화라는 태생적인 현상일까?

육아의 경우는 어떨까? 애들이 클 때 가르치고, 배워야 할 것들이 하나둘이 아니니 부모의 잔소리, 큰소리가 많을 수밖에 없다. 그래도 말 안 들으면 회초리를 들던 시대의 사람들이다.

오죽 답답하면 매를 들겠냐 마는 요즘 세대들은 어릴 때 매맞은 기억이 남아 어른이 되어서도 섭섭해하는 사람이 있다고 한다. 우리 세대는 의례 부모는 그러려니 했다. 아니, 사랑의 매라고 하지 않았나!

지금의 자식들은 부모가 되어서도 가끔 아빠, 엄마와 의견이 부딪칠 때마다 어릴 적과 연계해서 생각을 하나 보다. 나이에 비해 일찍 부모를, 이웃을 이해하고 배려하는 '애 어른'이 적어진 걸까, 오히려 요즘 육아는 이렇게 해야 한다고 가르치려고 한다.

부모는 변명으로 애들이 잘 아는 친구의 부모는 나보다 더 심했는데 잘 크고, 잘 되었다고 얘기해주고 싶다. 가끔이나마 자식들에게 잘 키워 줘서 고맙다고 전화라도 받으면 자랑스럽고, 자식 키운 보람을 매일 느끼며 행복할 것이다.

그렇지만 나이 든 부모는 이제 애들에게 단순하게 부양해야 할 짐이 된 건가? 아니면 초라하게 여겨지는 그저 노인일까? 의구심(疑懼心)이 드는 나이가 되었다.

옛말에 잘난 자식은 국가에 쓰이고, 못난 놈이 효도한다고 했다. 벼슬을 하는 잘난 자식은 출세를 위하여 매진하다 보면 부모 돌볼 시간적 여유도 없을 것이다. 못난 자식은 집에서 농사지으며 부모를 모시고 효도한다는 얘기이다. 자식의 지위(地位)가 효심(孝心)과 겸손(謙遜)을 상쇄(相殺)하는 것은 아닐까 두렵다.

옛날로 돌아가면 가난하고 어렵던 시절도 그립고 아름다운 추억이 되어 웃으며 얘기하는 것이 보통이다. 그러나 얘기의 첫 단추가 잘못 끼워지면 이런저런 이유로 기분 좋게 이야기가 마무리되지 않기 일쑤이다. 당시 자기의 입장을 호소하기 위함인데 그 자리에서도 그것을 인정받지 못하면 더욱 서운하기 마련이다.

부모와 자식 간에 이해가 부족하면 자식보다 생활환경이 좋지 못한 사람들의 예를 들어 자식을 설득하려고 한다. 부모의 부족함을 근사하게 변명하기 위함이다.

예를 들면, 고등학교도 졸업하지 못한 훌륭한 사람들도 얼마든지 있다. 즉, 미국의 실업가이며 자선가인 앤드류 카네기, 영국의 영화배우 찰리 채프린, 미국의 발명가 토마스 에디슨, 작가 마크 트웨인도 그런 불우한 환경에서 성공한 사람들이라고 설파한다. 강철왕 카네기는 어머니가 살아계시는 한 결혼을 안 할 것을 약속하였다. 그는 약속을 지켜 어머니가 돌아가셨을 때 52세의 미혼 노신사였다.

세상의 자식들에게 귀감(?) 될 만한 예는 얼마든지 있지만, 그것으로 설복당할까는 의심이다. 이미 마음이 떠나 있으면 말로써 말이 많아질 뿐 해결책은 아니다.

미국의 새들러 William Sadler[20] 박사는 은퇴 이후 30년의 삶이 새롭게 발견되고 있다면서, 이 시기(時期)를 핫에이지 Hot Age라고 했다. 이와 같은 뜨거운 인생을 구가하려면 물질적인 문제가 뒷받침되어야 한다.

아직 한국은 사회복지 제도가 확립되지

---

[20] 하버드 대학 성인발달연구소에서 심층 취재 방식으로 중년에 관한 연구를 주로 해오고 있다. 저서로 'The Third Age'가 있다.

않은 상황에서 현존하는 파이(재산)를 언제 어떻게 배분(유산 또는 증여)하는가가 중요한 문제가 아닐 수 없다. 어미가 제 살을 주든, 새끼가 제 목숨을(?) 어미에게 주든 이 모든 것의 함의(含意)는 사랑이다.

동물의 경우, 어미가 새끼를 돌보는 기간은 새끼가 독립할 때까지이다. 그러나 사람은 자기가 낳고 기른 자식에 대하여 애착을 갖고, 미래에 대한 걱정도 내려놓지를 못한다.

자식 또한 홀로서기가 서툴고 부모에 의존하는 경향마저 있다. 냉정하게 부모나 자식 모두 독립하는 자세가 필요하다고 하겠다.

결론은 '사랑'인데, 주고, 받는 사람의 생각이 다른 것이다. 인간의 욕심이 문제의 근원이다. 물질적이든, 정신적이든, 준 것보다 더 많이 받고자 하니 분이 풀리지 않는 것이다.

그래서 '마음이 가난한 자는 복이 있나니 천국이 저희의 것'이라고 했나 보다. (마태복음 5장 3절)

'사랑'도 '겸손'도 너무도 어려운 우리 인간에게 주어진 과제인 모양이다.

친구야, 그 커피숍 생각나?

오늘 그 커피숍에서 카페 한 잔 시켜놓고
혹시나 친구가 나타나기를 기대해 본다.

봄날은 무르익어 여름을 재촉하는데
기다리는 친구는 의자가 파이도록 소식 없네.

설렘과 기대에 찬 이 기다림이 식기 전에
찻잔 속에 친구 모습 비쳐질까 자리 못 뜨네.

캘리포니아 단상

좁아진 세상을 실감하며

샌프란시스코 유니온 스퀘어 Union Square 옆에 있는 웨스틴 호텔 Westin Hotel에 하룻밤 묵는다. 크리스마스 기분으로 한창 들뜬 시내 한복판에서 눈으로라도 샌프란시스코를 즐기라고 사위와 딸이 마련한 이벤트이다.

백화점과 호텔로 둘러싸인 광장에는 대형 크리스마스트리와 아이스링크가 마련되어 있다. 호텔 체크인까지 시간이 좀 남아서 아이스링크 한켠에 있는 카페에서 커피를 마신다.

왠지 모르게 커피라고 하면 우리나라보다는 미국이 본 고장에 더 가깝다고 생각되지만, 나에게는 익숙한 입맛이라 그런지 서울 방배카페골목, 그 커피 맛이 훨씬 나은 것 같다. 좀 촌스러운가?

세계가 한 마을처럼 되어가는 세상이다. 한국의 빵집, 파리바게트가 여기에 있고, 미국의 스타벅스가 한국에도 있다. 물론 미국의 음식점 체인이 한국에도 있는 것은 새삼스럽지 않다. 그러나 한국의 공산품이나 생활용품 이외의 외식산업까지 미국에서 만날 수 있어 너무 반갑다.

자연스럽게 같은 상표이니, 같은 가격이라고 생각되어 가격을 확인해 보니 대동소이하다. 이제 머리 굴려 환산하지 않아도 대충 이곳의 가격을 알만하다.

세계의 상품이 한국에도 있고, 가격도 별 차이가 없다. 특정 기간의 할인 면세품이 아니라면 구태여 외국에서 사서 무겁게 들고 귀국할 필요가 없는 시대인 것이다.

옛날에는 외국 제품을 한국에서 구매하려면 귀하기도 하고 터무니없이 비쌌다. 그래서 외국에 나갈 기회가 있으면 요령껏 미친 듯이 사재기를 하기 일쑤였다.

더욱이 지금 한국의 일부 제품이 외국 백화점의 제일 좋은 자리에서 고객을 맞고 있어 보기 좋은 실정이다. 현지인들이 생각하기에 한국의 모든 상품은 디자인도 품질도 최고라고 묵언의 선전을 하는 셈이다. 그러나 정작 한국 관광지에서는 그 지역을 대변하는 관광 관련 상품은 낙후되어 있지나 않은가 생각한다.

관광지 시설이나 관광코스도 문제지만 기념품 또한 지역 특성과는 거리가 있고, 어디든 같은 종류의 상품이고, 그것도 대부분이 중국제품인 것도 문제이다. 해당 지역(地域)스럽고 현지에서만 구할 수 있는 것이라야 기념품이라고 할 수 있지 않을까?

지자체에서 관광 활성화를 위해서 볼거리, 놀거리, 먹거리에 심혈을 기울여 좋아진 점도 많다. 문제는 지역적 특색이 없다는 것이다. 예산을 들여 새로 만드는 시설은 타지역의 것을 모방하기 때문에 어디를 가든 거의 같은 느낌을 받는다.

그런 시설이 관광객으로부터 외면을 당하면 예산 잡아먹는 골칫거리 시설물로 남을 것이다. 경쟁도 해야겠지만 지역 역사와 특징에 합당한 테마관광 시설이 무엇일까 고심해 보았으면 좋겠다. 내국인을 상대로 하는 관광일지라도 다양한 관광상품과 아이디어의 개발이 필요할 것이다.

예전에는 초등학교나 중고등학교에서 수학여행을 갔던 기억이 있는데 요즘은 교통편이 좋아져서 그런지 가족 단위의 여행이 많아진 것 같다. 수학여행에서 돌아올 때 기념품을 고르려고 고심한 기억도 새롭다. 하물며 외국인 관광객들은 말해 무엇하랴!

결론은 이제 우리 것을 찾아야 좋아진

세상에서 살아남을 수 있다는 생각이다.

한국 커피의 맛

　외국에　가면　한국　음식점이나　상점에
관심이　있게　마련이다. 미국에서　정착하고
생활을　하는　사람이라도　한국　슈퍼나
음식점이　어디　있는지가　관심사일　것이다.

　미국의　경우　슈퍼를　중심으로　찾아다니다
보면　음식점도　같은　쇼핑몰에　있어
음식점도　알게　된다. 기왕이면　한　번쯤
찾아가서　먹어　보는　것도　이곳에　머무른
추억으로　남을　것이고, 여행의　맛이기도
하다.

　캘리포니아는　한국　음식점이　특별히　많은
것　같다. 나는　외출하면　커피　마시러
파리바케트를　자주　찾는다. 미국에　웬만한
쇼핑몰　여기저기　진출해　있는　낯익은
간판을　보면　너무　흐뭇하고　자랑스럽다.
옛날에는　상상하지도　못했던　일들을
일상적으로　누리고　있다.

　쇼핑몰에는　한국　관련　상점들이　많다.
없는　것이　없다고　할　정도이다. 한국에서
최근에　유행하고　있는　음식　체인점까지
눈에　띌　정도이다. 백화점에는　한국
상품들이　제일　잘　보이는　좋은　자리에
있어　자부심이　커진다.

멀지 않은 거리에 스타벅스와 파리바케트가 있다면 당연히 파리바케트에 가서 카페라테 한 잔을 마시면 어깨가 으쓱해지는 느낌이 든다. 한국에 있을 때는 팁이 없는 스타벅스를 자주 찾지만 말이다.

미국 음식점은 팁을 주는 것도 번거롭다. 팁 TIP의 뜻은 To Insure Promptness (신속함보장)의 약자로 한 단어로 만든 것이다. 한국말로는 봉사료라는 뜻으로 쓰인다. 미국에서는 식당 식사 후 식사대의 15% 정도를 팁으로 주는 것이 관례지만. 솔직히 가끔은 아까운 생각도 든다.

파리바케트는 빵집이라는 인식도 있어서 한국에서는 커피 마시러 간 적이 거의 없다. 애국심의 발동일까? 고향 내음도 물씬 나고 마음도 평안하다. 외국에 나가면 모두가 애국자가 된다더니 의식하지 않고도 그렇게 되어가는 모양이다.

오늘따라 파리바케트의 카페라떼도 빵도 각별히 맛있다.

이런 느낌도 애국의 다른 표현일까?

캘리포니아의 하늘

금요일 오후 8시 비행기가 인천을 출발해서 장시간 비행을 하고 지구 반대편의 샌프란시스코에 도착한다면 아마도 그 이튿날이 되어야 맞을 법한데 아직도 금요일, (짱구 머리 지구라서) 그것도 출발보다 이른 시간에 도착한다는 것이 좀 믿기지는 않지만 사실이었다.

샌프란시스코는 전에 보던 그 파란 하늘에 흰구름이 두둥실 떠 있는 하늘 모양 그대로를 재연하고 있다. 그래서 사람들은 산천은 변함이 없다고들 하는 모양이다.

가끔 들려서 그리 길게 머무르지도 않는 뜨내기가 이리 느낀다면 어린 시절을 보내고 외지에서 자신의 혼신을 불사른 노신사가 오래간만에 밟는 고향 땅이라면 그 느낌이 어떠할까, 생각해 본다.

아마도 딸네 가족이 사는 곳이라 특별히 그런 고향에 돌아온 기분이 드는 것이리라. 무언가 연결고리가 있다는 것은 이처럼 시공을 초월하는 힘이 있는 모양이다.

그래서 특별하게도 캘리포니아 하면 흰구름이 머무르는 하늘이 늘 마음 한 곳을 차지하고 있다. 나지막한 산 위에 걸려 있는 그 흰구름이 상상의 그림들을 그려주곤 한다.

산이라고 하기보다는 딸이요, 사위이고, 손녀라는 느낌이기에, 목동이 피리를 불며 한가로이 풀 뜯는 젖소 떼를 기다리고 있는 듯한 언덕이 끝임없이 펼쳐져 있는 캘리포니아를 마치 고향처럼 떠올리게 할지도 모른다.

실로 오래간만에 그런 캘리포니아를 느껴본다.

크리스마스 학예회

알고 온 것은 아니지만 때맞춰 손녀, 아리 유아원의 크리스마스 학예회가 있는 날이라고 해서 외식을 하고 좀 일찍 참관하러 갔다. 알고 일부러 때맞춰 온 건 아니지만 할매가 느닷없이 미국에 가자고 해서 따라나섰더니 오기를 잘했다고 생각했다.

좋은 자리도 잡을 겸, 시작하기 전 반시간이나 일찍 갔는데 주차장도 유아원 앞은 만석이고 공연장도 대기하는 사람이 많다. 유아원생이 백여 명이니 한 원생에 가족이 3~4명이라고 하더라도 상당한 인원이리라. 먼저 가서 앞자리를 잡아야겠다고 생각했지만 이미 늦었다.

어린이들 가족의 얼굴 생김새가 가지가지다. 홍콩 말씨가 들리는가 하면 멕시코 부부에다 한국 드라마를 너무 좋아해서 한국 사람도 좋아졌다는 손녀와 같은 반 중국인 친구의 할머니와 할아버지도 뒷자리를 잡고 있다.

중국은 인구의 대국이란 것을 미국에서도 실감한다. 미국이라면 남미라든지 아프리카에서 이민 온 사람들이 많다는 인상이었는데 요즘은 인도, 중국 등 아시아계의 사람이 많아진 것을 실감한다.

중국에는 맞벌이 부부가 많다. 결혼해서 아이가 생기면 아이를 돌볼 사람으로 의례 어느 한쪽 부모를 부르는 것이다. 그래서 유치원이나 초등학교 등하교 시간에는 교문 앞에 할아버지, 할머니들이 장사진을 치고 있다. 모두 자전거를 타고 와서 자전거 행렬이 장관이다. 앞으로 자가용 시대가 오면 주차할 곳이 문제가 되겠지 지레짐작하며 혼자 웃기도 했다.

이것도 한 가구 한 자식 낳기여서 가능하겠지. 중국은 할머니, 할아버지가 살림하기, 애 돌보기 등 맞벌이 부부를 대신하여 큰 역할을 한다. 오늘 여기 학예회에서도 중국 노부부를 만나며, 손주 봐주러 미국까지 왔나 하는 생각을 했다.

세계 인종이 다 모여 사는 미국다운 풍경이다. 원생들이 입장하니 관중석이 난리다. 자기 아이를 찾고 환호성을 지르니 장내가 소란하다. 자식의 관심과 애착은 어느 나라를 불문하고 똑같은 같은 모양이다. 합창 몇 곡을 부르는 와중에 나도 열심히 사진을 찍고 손녀를 향해서 아낌없이 박수를 보냈다.

공연이 끝나고 무대에서 부모에게

아이들을 인계하고 무대 앞에서 공연
기념사진도 찍는다. 홀에는 관람하는
가족을 위해 마련한 쿠키와 우유 한 잔을
먹고 집으로 돌아왔다. 손녀는 공연도
공연이지만 일부러 할머니, 할아버지가
한국에서 와줬다는 것이 합쳐져 한참이나
흥분이 가라앉지 않은 것 같았다.

얼떨결에 할배, 할매 노릇을 제대로 한
셈이다. 밖은 가뭄의 단비가 내리며 어둠이
깔리고 있다. 내일을 위해서 단잠을
청해보자.

가똑바로 보고

졸업, 새로운 시작

외손녀가 유치원을 졸업한다. 평상시와 마찬가지로 등교하고 마지막 날이라고 두 시간 하던 수업을 한 시간만 하고, 담임 선생님과 작별 인사를 하면 졸업이다.

등교 길에 보니 학교 근처 잔디밭에 가족이 모여 아침부터 파티 준비를 하는 모습도 보인다. 오늘은 유치원만이 아니고 초등학교도 졸업한다. 그래서 그 집의 자녀가 유치원인지, 초등학교 중 어느 학교 졸업인지는 확실히 모르겠다.

그렇지만 각 가정에서는 졸업을 축하하고 기념하는 팻말이나 풍선을 집 밖 정원에 내다 걸어서 졸업생이 있음을 쉽게 알 수 있다. (아파트가 아닌 단독주택이라 더욱 정겹다) 쌍둥이가 졸업하면 공평하게 똑같은 축하 문구에 두 아이의 이름을 자랑스럽게 써서 내다 건다.

학교 앞에도 졸업을 축하하는 풍선과 격려문이 걸려 있고 모두가 활기찬 모습이다. 학생들은 담임에게 감사 편지와 간소한 선물로 졸업 인사를 하고, 같은 반 친구들도 서로 선물을 주고, 받고 너무 좋아한다.

선물교환은 정해진 것은 아니지만 졸업이 가까워지면 자기가 만든 카드, 종이꽃, 자주 사용하는 문구(文具) 등 그야말로 아이들이 서로 교환할 만한 값싸고, 기억에 남을 만한 각자의 작품 같은 것이 주(主)인 것 같다.

누구에게나 몇 번 있는 졸업이라는 인생여정 중에 유치원이라는 최초의 의미 있는 학교의 졸업이다. 먼저 경험한 부모들이 알뜰하게 챙겨주고 싶은 마음이 이해되고 남는다.

학교에서는 코로나 팬데믹으로 졸업식도, 졸업 기념 촬영도 생략하였지만, 가정에서는 졸업 축하 풍선도 사고, 졸업 가운도 입혀서 기념 촬영도 하고, 외식도 하여야 하지 않겠나!

나는 이 일련의 과정에서 한가지 눈에 띄는 특별한 것을 발견했다. 졸업 축하 풍선이나 팻말 중에 특별히 많은 문구가 "The Adventure Begins Now!"라는 문구이다. 그렇다, 그들 미국 사람 및 졸업하는 당사자들에게는 졸업이란 한 과정의 끝이 아니고 지금부터 새로운 모험이 시작되는 출발점인 것이다.

끝과 시작은 언제나 각별히 다가오곤 한다. 한해의 끝인 12월은 무언가 아쉬움

남기지 않고 정리를 해야 할 것 같은 일종의 압박 같은 느낌을 준다.

한두 해가 아니지만, 올해도 예년처럼 훌쩍 지나쳐 가는 세월의 한순간도 마음대로 주무르지 못한 죄책감마저 있다. 하고 싶은 거 다 할 수 없는 짧은 인생이라고 입버릇처럼 되뇌지만 당장 내 앞에 있는 시간을 마음대로 요리할 수 없으면서 매번 같은 변명을 늘어놓기도 쑥스럽다.

미완성된 작업이나 진행 중인 일은 애당초 계획이 없었으니 있을 리 없다. 그렇다고 해서 뜬금없이 계획을 급조해서 어설프게 생색내려고 헛수고하지 말고 평소에 생각하지도 못한 한 가지 큰일을 하면 어떨까!

예를 들면, 근심 걱정을 다 내려놓아 보는 것이다. 이런저런 아쉬움, 미움, 미련, 두려움, 애증 등등을 다 내려놓아 머리와 가슴을 깨끗하게 비워보자. 지금껏 나에겐 계획이란 구석에 단 한 번도 끼어 보지도 못한 항목이 아니던가!

소위 스트레스란 버리지 못하는 미련이 아닐까! 이미 지나간 일, 아직 오지도 않은 일, 어쩔 수 없는 일, 나와 무관한 일까지 너무 친절하게 해결사 역할을 하려는 것이 문제의 발단이다. 그걸 이 마지막 달에 깨끗이 털어버리자.

　새로운 시작을 준비하자! 그 시작을 온 가족이 즐거운 마음으로 함께 축하하며 응원하는 것, 그것이 바로 졸업이리라 !!

미국 메모리얼 데이

메모리얼 데이(Memorial Day)는 미국의 공휴일로, 매년 5월의 마지막 월요일이다. 원래 미국 남북 전쟁 당시에 사망한 군인들을 기리기 위해 제정되었으나 제1차 세계 대전 이후로 전쟁 등의 군사 작전에서 사망한 모든 사람을 기리는 것으로 바꾸었다고 한다.

우리나라의 국군의 날과 같다. 우리나라는 한때 많은 국경일을 만들어 놓고, 쉬는 재미가 있었는데 많다 보니 양심 있는(?) 사람들이 공휴일을 걸러내어 휴일을 줄였는데 국군의 날도 그중 하나이다. 양력설 연휴(1월 2~3일), 식목일(4월 5일), 제헌절(7월 17일), 국군의 날(10월 1일), 유엔의 날(10월 24일)이 공휴일에서 각각 제외되었다.

공휴일이냐 아니냐가 반듯이 중요한 의미를 갖지 않는다고 하더라도, 이래저래 한국의 국군은 목숨 바쳐 나라를 지킨 역사에 길이 남을 애국자에서 점점 지위를 잃어가고 있지나 않나 우려된다.

최근 보도에 따르면 이상한 역사가들이 6·25를 북침으로 억지 주장과 동시에 당시 목숨 바쳐 조국을 지킨 용사들에게 동족(同族) 살인의 멍에를 씌우는 비겁한 이적(利敵)행위 움직임마저 있어 그들을 민족의 적(敵)으로 변질시키지나 않을까, 엉뚱한(?) 생각마저 하게 된다.

한미정상회담 참석차 미국을 공식 실무방문한 문(文) 전(前) 대통령은 백악관에서 열리는 한국전쟁 참전용사 명예훈장 수여식에 참석했다. (2021.05.21)

주인공은 한국전 참전용사인 랠프 퍼켓 주니어(Ralph Puckett. Jr.) 예비역 대령이다. 이 수여식에서 양국 대통령은 무릎을 꿇어 경의를 표했다. 분위기 때문에 어쩔 수 없어 꿇은 것이 아니고, 진정으로 우리나라를 위해 싸워준 혈맹의 노병을 위해 존경을 표한 것으로 알고 싶다.

미국은 예비군, 현역을 불문하고 군인에 대하여 항상 존경하는 나라이다. 우리나라도 당연히 그래야 한다. 목숨 걸고 나라를 지켜주는 군인에 대한 최소한의 예의이고 의리가 아니겠나!

또한 미국은 11월 11일 '베테랑스 데이'(Veterans' Day) 즉, '재향군인의 날'을 맞아 미군에 복무했던 용사들을 기린다. 1차 세계대전 전투를 끝낸 1918년 11월 11일 11시 11분에 발효된 정전협정에서 비롯됐기 때문이다.

1954년 드와이트 아이젠하워 대통령은 이날을 전쟁과 평화 시기를 막론하고 군복무한 모든 사람을 기리기 위한 공휴일로 정했다. 그리고 1971년 '정전 기념일'은 명칭을 '재향 군인의 날'로 바꿔 기념일의 정신을 더 잘 반영하고 있다.

미국은 이토록 조국, 미국을 위하여 목숨을 바쳐 전장 터에 나가 미국을 지킨 용사를 소홀히 하지 않는다. 이민자들의 국가인 미국의 애국심이 높은 이유 중에 하나라고 생각한다.

미국에서의 어느 6·25 참전용사의 장례식에 관한 글을 읽었다. 90세로 숨진 헤즈키아 퍼킨스(Hezekiah Perkins)라는 양로원에서 외롭게 홀로 살다가 죽음을 맞이한 무명의 노인 장례식이다. 딸 하나 있는데 그 딸도 나이가 많고 다른 주(州)에 살고 있고 병으로 장례식에 참석할 수 없었다.

그는 살아생전에 장례에 관한 모든 경비를 묘지 측에 미리 주고, 장례식까지 의탁했다고 한다. 장례식을 책임진 묘지 측은 참전용사의 장례식을 주민에게 알렸고 장례식에는 수천(數千) 名(명)의 사람들이 찾아온 것이다. 고인이 소속했던 부대

군인들의 성조기 전달식, 군악대의 연주,
수백 대의 호위 오토바이 차량 행렬 속에
엄숙하게 장례를 치렀다고 한다.

이를 지켜본 한국 교민은 깊은 감명을
받았다고 전(傳)한다. 미국의 정신, 위대한
시민 의식을 확인하고 고마운 나라라고
느꼈다고 한다.

그뿐이랴! 미군은 1950년 7월 1일
한국에 첫발을 디딘 이후 3년 1개월 동안
전쟁을 치루면서, 전사자 54,246명을
비롯하여 실종자 8,177명, 포로 7,140명,
부상자 103,284명 등 172,800여 명이
희생당했다.

특히 우리가 감동하는 것은 미국 장군의
아들 142명이나 참전하여 그중에 35명이
전사했다는 사실이다. 그중에는 대통령의
아들도 있었고, 장관의 가족도, 미8군
사령관의 아들도 포함되어 있다는 점에서
우리를 부끄럽게 만든다.

우리나라의 실태는 어떤가? 어느 장관의
아들 이른바 특혜 휴가 사건, 서해수호
천안함 추모식에 대통령이 한 번도
참석하지 않은 사실 등, 부끄러운
현실이다.

우리 대한민국이 왜 이리 작아 보이나.
우리 대한민국의 국군이 왜 이리 초라해

보이나, 마음이 아프고 안타깝다.

그렇지 않아도 미국 주택가는 늘 평온한 거리인데, 오늘따라 기분상으로 더욱 한적하고 엄숙하게 느껴진다.

국경일에는 거의 예외 없이 성조기를 게양하는 모습이다. 오늘 메모리얼 데이를 맞이하여 옆집에 힘차게 휘날리는 성조기를 바라보며 이런저런 상상의 나래를 편다.

봄의 마술(魔術)

세월의 시간은 어김없이 제자리 지켜 의지가 되지만,
서서히 늙게 만드는 마술사이기도 하지요.

나뭇가지 끝자락에는 겨우내 기다리고 있던 새싹이
아직 아닌가, 고개 내밀고 눈치를 보네요.

이제 두툼한 외투를 벗어 던지고 만날 시간이 왔네요.
봄의 마술은 당신이 가든, 내가 오든 나서게 할 테니까.

글을 마치며

맹자가 말하길 옳은 걸 옳다고 말하려면, 때때로 목숨을 거는 용기가 필요할 때도 있다고 합니다. 틀린 걸 틀렸다고 말하려면, 밥줄이 끊길 각오를 할 때도 있습니다. 그래서 그 두려움 때문에 우리는 옳은 걸 옳다고 말 못 하고, 틀린 걸 틀렸다고 말도 못 하는 경우가 많습니다. 언론의 자유가 보장되는 자유 민주주의 국가인데도 말입니다.

내가 하는 얘기는 그 정도의 이야기도 아니지만, 사안에 따라서는 주위 분위기는 눈치를 보아야 하는 현실임에는 틀림이 없다고 생각합니다. 모든 것은 때가 있다. (Everything has its own time) 늦기 전에(Before it's too late) 내가 보고 있는 현상을 그대로 정물화처럼 잔잔하게 보여드리려고 노력했습니다.

정의가 권력의 노예가 되었다고도 합니다. 인간의 존엄이 인종차별이라는 미명(美名) 아래 숨어버리지나 않았나, 의구심이 있습니다.

정치가 국민을 버리고 탐욕에 빠져 어디로 가고 있나, 탄식하고 있습니다.

모든 제도는 사람을 위한 것인데, 정작 그 사람들은 언제까지 방관하고 있을 것인가!

세상은 과학과 경제의 발전에 따라서 일상생활도 이에 맞춰 변모해 가고 있습니다. 지구 어느 쪽에선 인구가 증가하고 또 다른 쪽에선 저출산으로 고령화가 촉진되고, 성별(性別)을 조작하거나 선택을 시도할 수도 있습니다.

이러한 현상들에 인류가 어떻게 적응해 가는지 경험하고, 보면서 다시 정물화를 그릴 수 있으면 좋겠습니다.

그날이 기다려집니다.

2024. 06. 25.
소리 없는 변화의 전장(戰場)에서 한문선 씀

창밖에 비바람 불어도 쨍하고 해 뜰 날이
올 겁니다.

이 글을 읽으시는 분들이 나라 걱정,
가족 걱정, 자신의 걱정을 조금이나마
떨쳐내시기 소망합니다.

세상살이가 다 그렇고 그렇답니다.
당신의 소중한 하루하루가 감사와 기쁨으로
가득하시기 바랍니다.

사랑합니다. 감사합니다.

내가 보는 정물화

발 행 | 2024년 08월 08일
저 자 | 한문선
펴낸이 | 한건희
펴낸곳 | 주식회사 부크크
출판사등록 | 2014.07.15.(제2014-16호)
주 소 | 서울특별시 금천구 가산디지털1로 119 SK트윈타워 A동 305호
전 화 | 1670-8316
이메일 | info@bookk.co.kr

ISBN | 979-11-419-5331-7

www.bookk.co.kr